Psicología Cristiana en
Un curso de milagros

Psicología Cristiana en
Un curso de milagros

Segunda Edición en Español

KENNETH WAPNICK, Ph.D.

Foundation for A Course in Miracles®

Foundation for A COURSE IN MIRACLES®
41397 Buecking Drive
Temecula, CA 92590
www.facim.org

Primera Edición, 1978
Segunda Edición, ampliada, 1992
Primera Edición en Español, 1994
Segunda Impresión en Español, 2009
Segunda Edición en Español, 2011

Impreso en los Estados Unidos de América

*Catalogada en Información de Publicaciones
de la Biblioteca del Congreso*

Wapnick, Kenneth
    [Christian psychology in a Course in miracles. Spanish]
    Psicología cristiana en un Curso de milagros / Kenneth Wapnick.
        p. cm.
    "Primera edición en español".
    ISBN 978-0-933291-17-5
    1. Course in miracles. 2. Christianity--Psychology. 3. Christian
life--1960- I. Title.
    [BP605.C68W358318   1992]
    299'.93--dc20

CONTENIDO

CONTENIDO

Prefacio de la segunda edición en español

Para esta nueva edicin, se ha dado al libro una nueva composicin tipogrfica con mayor espaciado interlineal para facilitar la lectura. Aparte de este cambio estilstico y de la correccin de errores tipogrficos, no se le ha hecho ningn otro cambio.

Prefacio de la segunda edición en inglés

Este libro se publicó por primera vez en el 1978 en forma de folleto, y después de sufrir varias reimpresiones, parecía el momento preciso para darle un retoque. Por consiguiente, publicamos esta segunda edición, recién compuesta en forma de libro; y conjuntamente con la nueva forma, esta nueva introducción.

Psicología cristiana en Un curso de milagros, fue mi primera publicación relacionada con *Un curso de milagros*, y más que ninguna otra obra mía, estaba destinada a un auditorio específico; mucho más de lo indicado en estas palabras tomadas de la introducción original del folleto:

> Este artículo está escrito para una lectoría específica: aquellos que han aceptado a Jesús como su

modelo y los evangelios como su guía, y al mismo tiempo tienen interés en *Un curso de milagros*.

En el prefacio de mi libro *El amor no condena*, publicado en el año 1989, resumí más plenamente las circunstancias de la escritura del folleto, y cito ahora de este prefacio:

Gran parte de mi trabajo [terapia y conferencias] en los años subsiguientes a mi introducción al Curso (en 1973) se concentró en torno a los católicos romanos en la ciudad de Nueva York y sus alrededores. Estos incluían sacerdotes, miembros de órdenes religiosas, laicos y comunidades religiosas. Yo había comenzado a desarrollar un interés en el pensamiento cristiano y en las Escrituras, pero mi trabajo dentro de la Arquidiócesis de Nueva York hacía imperativo que me familiarizara con la historia y la teología del cristianismo, por no decir nada del Nuevo Testamento, y con la relación entre éstos y *Un curso de milagros*. Reconocí que tal estudio me ayudaría a salvar la brecha entre el pensamiento cristiano ortodoxo y el Curso para aquellos que estaban llegando al Curso procedentes de esta tradición. Como afirma el Curso:

Sería en verdad extraño si se te pidiese que fueses más allá de todos los símbolos del mundo y los olvidaras para siempre, y, al mismo tiempo, se te pidiera asumir una función docente. Todavía tienes necesidad de usar los símbolos del mundo. Mas no te dejes engañar por ellos...Los símbolos no son sino medios a través de los cuales puedes comunicarte de manera que el mundo te pueda entender, pero reconoces que no son la unidad en la que puede hallarse la verdadera comunicación (L-pI.184.9).

Y del Manual para maestros:

Si quieres ser oído por los que sufren, tienes que hablar su lengua. (M-26.4:3).

Fue durante este período que escribí *Psicología cristiana en UN CURSO DE MILAGROS*. Este folleto intentó servir de puente al discutir las muchas similaridades que se encuentran en ambas enseñazas. Sin embargo, el objeto no fue hacer una comparación o un contraste exhaustivo entre las dos (*El amor no condena*, pg. 12-13).

Helen Schucman, la escriba de *Un curso de milagros*, y yo frecuentemente hablábamos de los problemas con que se enfrentaban los cristianos tradicionales que eran estudiantes del Curso. Helen conocía a muchos de los católicos que yo estaba viendo, y era amigable con algunos de ellos. Ambos reconocíamos el enorme cambio de pensamiento que se requería si estos sinceros cristianos iban a proseguir su interés en el Curso, por no decir nada del trastorno personal que podría sobrevenir cuando estos estudiantes empezaran a darse cuenta de lo que estos libros "herejes" estaban diciendo realmente, y de la implicación para sus sistemas de creencias personales y teológicas.

Juntos convinimos en que un puente como el que proveería este folleto era necesario para facilitar ese cambio, y Helen me ayudó en la revisión del mismo después de haberlo escrito. Dicho sea de paso, cómo titularlo planteó un problema por algún tiempo. Pero finalmente, Helen y yo propusimos el título presente que por su sencillez nos pareció la forma más apropiada de caracterizar el folleto. Ya que *Un curso de milagros* integra su sofisticada psicología de la dinámica del ego dentro de un marco del cristianismo tradicional (aunque presenta, como he dicho antes, una teología totalmente diferente), el título—*Psicología cristiana en Un curso de milagros*—nos pareció más que apropiado.

Al seguir las líneas de los pasajes del Curso que he citado antes, estaba claro para nosotros que para que sirviera como un puente, el folleto tendría que hablar el idioma con el cual estos estudiantes estaban familiarizados. Esto era similar al uso que hizo Jesús del lenguaje bíblico en su presentación de un sistema de pensamiento tan radicalmente distinto como el del Curso, para salvar la brecha por decirlo así, entre las enseñanzas distorsionadas del cristianismo bíblico tradicional y las correcciones de éstas que se encuentran en *Un curso de milagros*.

Fue para proveer este puente entre el cristianismo bíblico y las premisas *no*-bíblicas del Curso que el folleto, como ya he indicado, no discutía las diferencias reales entre estos dos sistemas de pensamiento mutuamente excluyentes. Mi obra posterior, muy específicamente la ya mencionada *El amor no condena: el mundo, la carne y el diablo según el platonismo, el cristianismo, el gnosticismo y Un curso de milagros* lo ha hecho así al: 1) concentrarse en la metafísica del Curso que trata la naturaleza ilusoria del universo físico; 2) contrastar al Dios bíblico del especialismo, tan implicado en los pecados de Sus hijos y del mundo con el Creador no dualista del

Curso, Quien ni siquiera sabe de sus ilusiones; 3) señalar la igualdad inherente de Jesús y de la Filiación y finalmente; 4) presentar la opinión acerca de la naturaleza no sacrificatoria y no sufrida de la crucifixión de Jesús. Todo esto trascendía el ámbito de este folleto esencialmente introductorio, y he decidido no cambiar ni ampliar el original. Beethoven, después de todo, no reescribió su primera sinfonía a la luz de sus obras posteriores. Yo deseo, sin embargo, hacer algunos comentarios aquí ya que el libro llega ahora a un auditorio más amplio que el que se pretendía originalmente.

En armonía con el lenguaje bíblico, por no decir nada de la experiencia de la gente, me refiero en el libro al *plan* del Espíritu Santo, a que El o Jesús nos *envían* gente y a nuestro pedido de ayuda a Ellos. Este lenguaje también debe resultarle familiar a los estudiantes de *Un curso de milagros*, en el cual se usa a menudo. En realidad, el Espíritu Santo (o Jesús) *no* interviene en el mundo ilusorio, ya que eso Lo haría tan demente como estamos nosotros. Creer en Su intervención mundana refleja el deseo, mayormente inconsciente, de que el Espíritu Santo sea engañado por la estrategia del ego de usar el mundo y sus preocupaciones corporales para distraernos del verdadero problema (nuestra creencia en la realidad de la culpa) y la respuesta (el milagro del perdón), las cuales se encuentran en nuestras mentes.

Sin embargo, ya que nuestra *experiencia* es que somos parte de este mundo físico, y creemos que Dios también lo es (vea, por ejemplo, esta importante línea: "Ni siquiera puedes pensar en Dios sin imaginártelo en un cuerpo, o en alguna forma que creas reconocer" [T-18.VIII.1:7])[1], no sería útil ni práctico para Jesús imponer un nivel de explicación que está más allá de nuestra capacidad para comprender. Como dice él en el libro de ejercicios: "Pues, ¿quién podría entender un lenguaje que está mucho más allá de lo que buenamente puede entender?" (L-pI. 192.2:2). Así que, repito, para servir los propósitos de un puente, el lenguaje de nuestra experiencia se usó frecuentemente en este libro.

Dicho todo esto, sin embargo, es extremadamente importante no confundir la *forma* de nuestros instrumentos de enseñanza con su *contenido* subyacente. De lo contrario, no habrá crecimiento, y permaneceremos para siempre en los niveles más bajos de nuestro ascenso en la escalera espiritual. Y así que al mismo

---

1. Ver final del prefacio para explicación sobre esta anotación.

tiempo que se nos dice que el Espíritu Santo hace cosas para nosotros en el mundo, realmente nos sanamos del sistema de pensamiento básico del ego que nos enseña que *no hay* Espíritu Santo, y que si lo hubiera, El ciertamente no sería una Presencia amigable que nos consolara y nos guiara. Así pues, no son las palabras (*forma*) lo que constituye la verdadera enseñanza, sino su significado subyacente (*contenido*). El propósito de Jesús al usar este lenguaje es ayudarnos a deshacer los pensamientos del ego de que un Dios iracundo y vengativo nos castigará por nuestro pecado. Leemos, por ejemplo, esta descripción del sueño demente de asesinato del ego:

> Aquel que usurpa el lugar de Dios y se lo queda para sí mismo tiene ahora un "enemigo" mortal. Y ahora él mismo tiene que encargarse de su propia protección y construir un escudo con que mantenerse a salvo de una furia tenaz y de una venganza insaciable.... Y ahora ya no queda ninguna esperanza, excepto la de matar.... Un padre iracundo persigue a su hijo culpable. Mata o te matarán.... La mancha de sangre no se puede quitar y todo el que lleva esta mancha sobre sí está condenado a morir (M-17.5:8-9; 7:7-8,10-11,13).

Una vez que se ha corregido la creencia de que Dios (o el Espíritu Santo y Jesús) es nuestro enemigo, podemos dar los pasos siguientes en nuestro viaje. Estos incluyen el reconocimiento progresivo, a medida que nos aproximamos al final del viaje, de la realidad esencialmente abstracta de la presencia del Espíritu Santo y de Jesús en nuestras mentes divididas. Lo que está en discusión aquí es el punto crucial de proceder lenta y pacientemente a lo largo del camino espiritual, y de minimizar el miedo inevitable a desprendernos eventualmente de nuestra identidad. Tal y como el Curso tan amorosamente nos consuela:

> Todo lo que aterrorizó al Hijo de Dios y le hizo pensar que había perdido su inocencia, repudiado a su Padre y entrado en guerra consigo mismo no es más que un sueño fútil. Mas ese sueño es tan temible y tan real en apariencia, que él no podría despertar a la realidad sin verse inundado por el frío sudor del terror y sin dar gritos de pánico, a menos que un sueño mas dulce precediese su despertar y permitiese que su mente se calmara para poder acoger—no temer—la Voz que con amor lo llama a despertar; un sueño más dulce, en el que su sufrimiento cesa y en el que su hermano es su amigo. Dios

dispuso que su despertar fuese dulce y jubiloso, y
le proporcionó los medios para que pudiese despertar sin miedo (T-27.VII.13:3-5).

Así que no avanzamos directamente de las pesadi-
llas ilusorias del ego a la realidad, sino que con Jesús
como guía, primero pasamos a través de los sueños
ilusorios del perdón. Estos deshacen la interferencia
del ego, lo cual permite entonces que el Amor de Dios
regrese a nuestra conciencia. Por lo tanto, primero
aprendemos que Dios es mi Padre amoroso más bien
que rencoroso, y que el Espíritu Santo es un compa-
ñero consolador en vez de un enemigo. *Sólo entonces*
podemos aprender que en efecto no hay ningún
mundo donde Ellos tengan que consolarnos.

Yo discuto estos asuntos con gran profundidad en
mis libros, *El amor no condena y Ausencia de la felicidad: la historia de Helen Schucman como escriba
de UN CURSO DE MILAGROS*, el álbum de audiocintas
Jesús: la manifestación del Espíritu Santo, así como
en otras publicaciones. Las he mencionado aquí para
no confundir a los lectores de este libro que también
han sido estudiantes de *Un curso de milagros* por un
tiempo, y que además están familiarizados con mi
obra, y quienes por consiguiente podrían desconcer-
tarse con el lenguaje que encuentren aquí.

En estos mismos términos, debo mencionar también que dado el propósito original del folleto de salvar la brecha entre el Jesús de la Biblia y el Jesús de *Un curso de milagros*, consideré la Biblia como si ésta fuera más o menos precisa históricamente en términos de las palabras reales de Jesús y de muchos de los incidentes que se relatan allí. Esto estableció un contexto familiar en el cual la lectoría cristiana designada pudo, esperamos, entender mejor los principios del Curso. Como personalmente no considero que la Biblia sea un relato preciso de la vida y enseñanzas de Jesús, he abandonado esta práctica, ya que su propósito se ha cumplido. Por tanto, he escrito un epílogo para esta nueva edición en el cual hago algunos comentarios adicionales acerca de Jesús los cuales destacan algunas de estas diferencias entre el Curso y la Biblia.

Se han hecho varios cambios menores en esta segunda edición. Estos incluyen algunos de carácter estilístico para corregir errores gramaticales y de puntuación, así como aquellos que armonizan la escritura en mayúsculas con el Curso y mis otras obras. Las referencias a *Un curso de milagros* se dan en las formas que indican los ejemplos en la siguienta página.

Finalmente, me gustaría expresar la esperanza de que este libro continuará proveyendo una introducción sucinta y básica a *Un curso de milagros*, al mismo tiempo que ayudará a los cristianos tradicionales a integrar el amor por Jesús con su mensaje en el Curso.

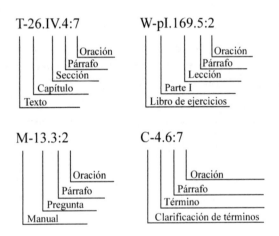

T-26.IV.4:7

- Oración
- Párrafo
- Sección
- Capítulo
- Texto

W-pI.169.5:2

- Oración
- Párrafo
- Lección
- Parte I
- Libro de ejercicios

M-13.3:2

- Oración
- Párrafo
- Pregunta
- Manual

C-4.6:7

- Oración
- Párrafo
- Término
- Clarificación de términos

INTRODUCCIÓN

Este artículo está escrito para una lectoría específica: aquellos que han aceptado a Jesús como su modelo y los evangelios como su guía y que al mismo tiempo tienen interés en *Un curso de milagros*. Algunas de las enseñanzas del Curso están basadas en la vida de Jesús tal como aparece en los evangelios. Otras son esencialmente exposiciones nuevas en lenguaje contemporáneo de algunas de sus enseñanzas básicas. Otras aún señalan la importancia de Jesús como nuestro salvador personal. Se recalca que la forma en que Jesús integra estos aspectos está presentada desde la perspectiva de un psicólogo cristiano, no la de un teólogo o la de un erudito de las escrituras. Esto es compatible con el énfasis del Curso en la experiencia más bien que en la teología. Como dice éste: "Una teología universal es imposible, mientras que una experiencia universal no sólo es posible sino necesaria" (C-in.2:5).

El punto central del Curso es siempre práctico, al presentar maneras específicas de deshacer las interferencias en nuestro desarrollo espiritual. El énfasis en asuntos doctrinales, en el contexto del Curso, tendería a impedir el aprendizaje y la práctica de sus principios. Como le sugiere el Curso a sus estudiantes:

> Se te pide simplemente que las apliques tal como se te indique. No se te pide que las juzgues. Se te pide únicamente que las uses. Es usándolas como cobrarán sentido para ti....(L-in.8:3-6).

El Curso parece que cae dentro de la tradición que considera la teología como una revelación continua de la Palabra de Dios, la cual evoluciona para llenar las necesidades de nuestra época. El mismo no reclama ni finalidad ni carácter absoluto, y establece específicamente que su currículo es sólo una forma del "curso universal" (M-1.4:1). Es ecuménico, puesto que nos ve a todos como hijos de Dios y puede beneficiarnos no importa cuál sea nuestra fe. Sin embargo es claramente cristiano en su exposición. De hecho, la primera persona singular que aparece a través de todo el Curso se identifica como Jesús, y es obvio que ocupa un lugar céntrico en el mismo. Si bien el Curso no requiere la aceptación personal de Jesús para aprender y practicar sus principios, sí establece que él está deseoso de unirse con aquellos que quieran compartir sus "penas y alegrías" con él, y renunciasen a "ambas para hallar la paz de Dios" (C-5.6:7).

El Curso consiste de un texto, un libro de ejercicios para estudiantes y un manual para maestros, y puede describirse como un enfoque psicológico de la espiritualidad, el cual descansa fundamentalmente en los discernimientos que la psicología ha establecido en este siglo. Es muy difícil integrar la psicología tradicional con la vida espiritual, ya que éstas representan diferentes niveles de experiencia. Sin embargo, algunos de los conceptos de la psicología pueden ser extremadamente útiles en ayudarnos a entender la dinámica del ego, que el Curso define como el falso yo que construimos como sustituto del Ser que Dios creó. Si realmente deseamos hacernos conscientes de nuestra verdadera Identidad y de nuestra vida en Dios, debemos deshacernos de las interferencias del ego. Es el propósito del Curso ofrecer una manera de lograrlo.

Capítulo 1

LA DINÁMICA DEL EGO

El miedo y la culpa

El Curso afirma que la base de nuestras dificultades es el problema de autoridad (T-3.VI.7:2), un concepto psicológico que se redefine en términos religiosos. En la opinión del Curso este problema se apoya en la creencia de que nosotros, en lugar de Dios, nos creamos a nosotros mismos. Esta extraña creencia es ilustrada por el actual énfasis de la psicología en el "concepto del yo", lo cual implica que nos corresponde a nosotros definir y cambiar nuestra realidad como mejor nos convenga. Esto puede considerarse como una versión moderna de la situación que se encuentra en el libro del Génesis, en que Adán y Eva decidieron que querían ser "distintos" a Dios y querían tener una voluntad que estuviera separada de la Suya. La Biblia no da una explicación real de cómo ni por qué ésto pudo haber ocurrido, así como tampoco el Curso se interesa en este asunto. Como señala éste, ¿por qué interesarnos en la razón por la cual algo sucedió en el pasado cuando todavía está sucediendo en el presente (T-4.II.1:3; 3:4)? Y en efecto, la mayoría de nosotros continuamente reafirma la creencia de que estamos separados de nuestro Creador a cada segundo de nuestras vidas.

En el relato bíblico, Adán, el prototipo del ego o nuestro falso yo, ya no quería permanecer en su estado de unidad con Dios, e intentó cambiar lo que su Padre había creado tan perfecto como El y uno con El. El estado posterior en el cual se encontró a sí mismo—al estar fuera del jardín—se convirtió en el símbolo de este acto y en el recordatorio y la justificación de su culpa por lo que creyó que le había hecho a Dios y a sí mismo. La culpa origina el miedo al castigo, de modo que se ve a Dios como un vengador que intenta castigar a sus hijos por el crimen de éstos. El Dios de amor es así transformado en un dios de miedo, y la paz que es nuestra herencia natural se convierte en un estado de terror, ansiedad y continua vigilancia por temor a ser destruidos por el Padre a Quien creemos haber atacado.

Esta atmósfera de miedo y culpa es la condición de la "post-separación" que todos llevamos adentro. Nuestro estado conduce a una culpa mayor que intensifica el miedo y se establece un ciclo aparentemente interminable que no parece tener solución. Este es el patrón que sustenta la mayoría de nuestras actitudes, sentimientos y acciones, y que constituye el infierno psicológico que hemos hecho como sustituto del Cielo para el cual fuimos creados.

En resumen, pues, nuestro miedo básico es a Dios, puesto que inconscientemente creemos que si Lo dejáramos entrar en nuestras vidas seríamos destruídos por su furia por haberlo atacado, lo cual nuestra culpa afirma continuamente. Esta es la causa de nuestra ansiedad básica, la que se mantiene fuera de nuestra conciencia por medio del uso constante de defensas. La causa de nuestra aflicción aparenta deberse a problemas de todas clases, pero en realidad no permitimos que la verdadera causa entre en nuestro consciente. La voz del ego o nuestro yo de la post-separación, el cual se asemeja mucho al "hombre viejo" de San Pablo (Col 3:9), nos dice que debido a que somos culpables de este acto tan terrible, cada uno de nosotros se ha convertido en una criatura horrorosa. Los sentimientos de indignidad, insuficiencia e inferioridad de los cuales todos sufrimos nacen de este sentido de culpa subyacente, de algún error que jamás puede corregirse; alguna "malignidad" básica en nosotros que jamás se puede sanar.

Es esta creencia en nuestro carácter pecaminoso *inherente* e *irredimible* lo que constituye el fundamento de la existencia del ego. Por lo tanto, es una creencia que debe mantenerse a cualquier precio si el ego ha de sobrevivir. El costo es inmensurable porque implica una pérdida de conocimiento de la inherente y verdadera inocencia que es nuestro patrimonio natural como hijos de Dios, creados a Su imagen y semejanza. Para asegurar su supervivencia, el ego tiene que mantener siempre nuestro miedo y culpa. La situación se parece mucho a la de alguien que está parado frente a la puerta de un armario cerrado, una puerta que el ego nos dice que jamás abramos. Nos dice que dentro del armario está la "verdad" pecaminosa y terrible acerca de nosotros. Es una "verdad" que, si la mirásemos alguna vez, nos cegaría de horror. Sobre esta puerta está escrito, en palabras de Dante: "Abandonen la esperanza todos los que aquí entren". Y mientras este miedo permanezca indisputable, nuestras vidas enteras serán gobernadas por la necesidad de mantener la puerta del armario cerrada.

Nuestra identificación con este miedo y con el sistema de pensamiento que el ego ha hecho como sustituto de nuestra realidad, no nos deja otra alternativa que no sea seguir la lógica del ego e intentar, por todos los medios posibles, mantenernos alejados de la puerta del armario. El ego dice: "Sígueme y yo te daré seguridad y paz". Y de acuerdo con su propio pensamiento así lo hace porque si seguimos sus mandatos, de hecho, nos apartamos cada vez mas de nuestro "secreto culpable", el cual mantenemos libre de exposición y hasta nos olvidamos de lo que es. El sistema teórico completo del Curso descansa sobre este entendimiento del origen y meta del ego. Nuestra culpa secreta, que puede considerarse como la contraparte psicológica del pecado original, debe permanecer inviolada si el ego se va a mantener. Esto nos aprisiona en un mundo de miedo, con el ego como guardián del portal.

Los efectos de la culpa tienen implicaciones poderosas. Si persistimos en escuchar la voz del ego y permanecemos renuentes a entender la fuente real de la culpa, nunca podemos desechar el miedo que yace más allá de la misma. Las consecuencias son devastadoras. Al creer en la enormidad de nuestra culpa, nos vemos obligados a hacer lo posible por bregar con ésta como si reflejara nuestra realidad. Al reconocer su intolerable naturaleza, acudimos al ego como "salvador". "Esta culpa", murmura el ego, "jamás puede deshacerse, pero puede alejarse de ti". Y esto se logra negando su presencia en nosotros y proyectándola sobre algo o alguien externo a nosotros. Así, aparentemente la descartamos y ubicamos con seguridad lejos de nosotros. Estas son las defensas del ego contra lo que él nos ha convencido de que es nuestra espantosa realidad.

El plan de salvación del ego

El plan de salvación del ego es un tanto análogo a la falsa solución que intenta usar una persona cuando barre el polvo debajo de la alfombra en un esfuerzo inadecuado por deshacerse de éste. El problema aparenta haberse ido porque ya no se ve. Sin embargo, así como el polvo permanece amontonado debajo de la alfombra, asimismo nuestra culpa secreta permanece en nosotros, sepultada por la negación y la proyección. Estas defensas protegen la culpa de nuestra conciencia, pero en realidad mantienen su existencia. Como señala el Curso, las defensas dan lugar a lo que quieren defender (T-17.IV.7:1). Concebidas para mantener el miedo alejado, realmente lo intensifican. Al mantenerse oculto, el miedo es reforzado por la necesidad de una vigilancia constante contra el mismo. Tememos continuamente que pueda atravesar nuestras defensas en cualquier momento. Lo que nos atemoriza no es cualquier cosa específica que pretendemos negar, sino el proceso mismo de la negación, el cual aumenta nuestro miedo al convencernos de que realmente hemos hecho algo por lo cual debemos estar temerosos.

Si bien el ego puede parecer autónomo y externo a nosotros, ésta es en realidad una decisión que hemos tomado o un marco de referencia que hemos aceptado. Parecemos indefensos frente a su persuasión. Creemos que sus mandatos de miedo y culpa, dolor y sufrimiento, desesperanza y desolación son realidades de la vida que debemos aceptar y a las cuales debemos ajustarnos. A toda costa el ego tiene que ocultar de nuestra conciencia la verdad sobre nuestra Identidad, la cual *está* separada de él. La "trama" para su propia supervivencia puede verse y entenderse claramente ahora. Mientras creamos que el ego es real y externo a nosotros, no tendremos esperanzas de alterar la situación. Nos hemos tornado impotentes para hacer algo excepto sacar el mejor partido de una situación cruel que descansa sobre la culpa y el miedo, y de la cual sólo podemos escapar a través del engaño a nosotros mismos.

Mas a pesar de la culpa que el ego intenta engendrar, cuando *miremos* hacia adentro y mas allá de nuestro miedo, encontraremos únicamente el Cristo que vive como nuestro verdadero Ser en lugar de los horrores de los cuales nos habla el ego. El Cristo es la brillante realidad que el ego procura ocultarnos. En el libro de *Revelación*, Jesús nos dice que él esta a la puerta y llama (Rv 3:20). Mientras nos identifiquemos con el ego nuestro miedo no es, como podríamos pensar, a que cuando abramos la puerta él no estará ahí. El miedo es realmente a que él *esté* ahí. Pues en su presencia, y en nuestra identificación con esa presencia, el mundo del ego se desvanece y todo el miedo y la culpa desaparecen. La razón subyacente para la atracción de culpa del ego se hace evidente. Mientras creamos en su realidad jamás veremos nuestra inocencia, y mantendremos la culpa para siempre como un velo sobre el rostro de Cristo, el símbolo de nuestra inocencia de acuerdo con el Curso. La culpa quiere que creamos que no somos de nuestro Padre, y que por lo tanto no podemos compartir la paz, el gozo y la felicidad que sólo pueden venir de El.

Así como en palabras de San Juan: "El amor perfecto expulsa el temor" (1 Jn 4:18), así mismo el miedo o la culpa oscurecen o expulsan el amor perfecto de nuestra conciencia. La luz y la oscuridad no pueden coexistir. Cuando una llega la otra desaparece. Cuando tenemos miedo no podemos sentir la paz de Dios. Esto no significa que nos hayan quitado Su paz, lo que si quiere decir es que mientras estemos asustados no sabremos que está ahí. Cuando una nube pasa frente al sol, realmente no nos han quitado el sol. Sin embargo, su luz *es* removida momentáneamente de nuestra vista. De igual modo, la proyección oscurece la realidad de nuestra conciencia, aunque no puede cambiarla. Puesto que la culpa es fundamental para el sistema de pensamiento del ego, creeremos en ella mientras este sistema de pensamiento sea el nuestro. Y debido a esta creencia no veremos la luz que está más allá. Por esta razón el ego busca continuamente testigos que le proveerán evidencia de nuestra culpa, aun cuando sus testimonios sean falsos. Mientras aceptemos la meta de culpa del ego sus testigos servirán para reforzar nuestros sentimientos de inferioridad y desesperación, y estaremos cada vez más ignorantes de su falsedad.

En resumen, el ego representa nuestro miedo a Dios y nuestro deseo de permanecer separados de El. De este miedo surge el temor al castigo y la necesidad de protección, ya que parece que no hay una manera en que podamos deshacer dicho miedo. La culpa es el agente "protector" del ego, y la proyección, complementada por la negación, se convierte en el medio a través del cual se mantiene esa culpa. Este proceso es el arma principal del ego en su "guerra en contra de Dios".

La proyección y la percepción

La proyección, el mecanismo a través del cual se externaliza la culpa, genera una orientación "si-sólo": si sólo mis padres hubieran sido distintos; si sólo mi cónyuge fuera más comprensivo; si sólo la iglesia fuera más liberal (o conservadora)—si sólo algo externo a mí cambiara, entonces yo sería feliz. Si bien a un nivel es cierto que todos somos afectados por el mundo que nos rodea, también es cierto que somos responsables de nuestras reacciones *al* mundo y a lo que nos ocurre personalmente. Por lo tanto, es importante entender el papel de la proyección y reconocer hasta qué punto ésta distorsiona las percepciones de nosotros mismos y de los demás, al generar una imagen irreal de ambos. Como dice el Curso, "la proyección da lugar a la percepción"

(T-21.in.1:1). Lo que vemos dentro de nosotros determina lo que vemos afuera. Primero miramos en nuestro interior y luego proyectamos sobre el mundo lo que vemos adentro. Este proceso determina cómo percibimos el mundo y cómo reaccionamos al mismo.

El proceso descansa fuertemente sobre nuestros deseos, necesidades y miedos. Por ejemplo, alguien que está perdido en el desierto puede, debido a su necesidad de agua, imaginarse que ve un oasis y hasta creer que escucha el sonido de agua corriente. Un niño asustado en la oscuridad puede "ver" fantasmas y dragones que lo atacan. La presencia de una intensa culpa puede realmente inducir a la víctima a creer en voces susurrantes que están hablando de él o que alguien que camina detrás de él lo está espiando. A través del uso de la proyección, la culpa inducirá a la creencia de que el castigo por algún agente externo es inevitable. El foco bien puede ser Dios, un padre, maestro, amigo o superior; o, en un nivel más impersonal, puede ser el gobierno, la iglesia o hasta las condiciones mundiales en general. Esto inicia un círculo vicioso en el cual nuestras percepciones, que ya hemos proyectado, sirven para confirmar nuestra creencia. El mundo se ha vuelto aterrador, lo que justifica nuestra necesidad de defensa y refuerza el mismo miedo que sustenta la proyección.

Este es el círculo vicioso que mantiene la existencia del ego. El miedo reforzando al miedo es claramente ilustrado por lo que se ha llamado la "profecía auto-cumplida". Por ejemplo, un rumor infundado de que cierto banco ya no está solvente se empieza a difundir. Como resultado los depositantes empiezan a retirar su dinero, lo que eventualmente causa un fracaso real. Un proceso similar opera cuando percibimos el presente en términos del pasado. Debido a que la gente ha respondido en formas particulares en el pasado, o las situaciones han evolucionado de acuerdo con cierto patrón bien definido, esperamos que ocurra lo mismo en el presente. Si bien los patrones habituales son necesarios para nuestra adaptación al universo físico, éstos pueden resultar inaceptables cuando, al relacionarnos con el mundo en un nivel psicológico, nos volvemos rígidos, temerosos y satisfechos de permanecer con "las cosas como siempre fueron", reacios a hacer cambios en nosotros mismos o a estar abiertos a la posibilidad de cambios en los demás. Debido a esta renuencia a considerar un cambio en nuestras percepciones, el pasado se proyecta al futuro y el presente se pasa por alto. Es así que, como señala el Curso, nuestras proyecciones nos dan una visión distorsionada de la realidad, y hacen imposible que nos veamos a nosotros mismos, a los demás y a Dios como verdaderamente somos. Percibimos a través de nuestras necesidades y deseos, y hacemos a Dios y a nuestros hermanos a imagen y semejanza de lo que queremos que sean.

La relación especial

Son las distorsiones que introducimos en nuestras relaciones interpersonales lo que constituye el foco principal del Curso. Al sentir que somos muy vulnerables recurrimos a otros en busca de apoyo, y los explotamos para satisfacer nuestras necesidades. Es este nivel de distorsión, que el Curso llama la "relación especial", lo que se convierte en el aliado más poderoso del ego. Esta relación niega nuestra necesidad de Dios y la sustituye por la necesidad de gente especial y de cosas especiales. La relación especial descansa sobre la suposición de que hay algo carente en nosotros; una necesidad especial que creemos tener, y que debe satisfacerse si queremos ser felices.

El ego ve las relaciones únicamente en estos términos y en vista de esto la función de los demás se convierte en la de satisfacer las necesidades que experimentamos. Nuestra culpa hace que nos sintamos despojados, de modo que el "principio de escasez" gobierna nuestras vidas. Este principio es el sustituto del ego para la ley de abundancia de Dios. Al perder de vista nuestra verdadera plenitud en Dios, buscamos una falsa sensación de unidad en relaciones distorsionadas con los demás. Nos sentimos atraídos por aquellos que parece que mejor llenan nuestras necesidades, y ellos, a su vez, se sienten atraídos por nosotros por la misma razón. Así, el hombre que quiere el amor y la protección de una madre es probable que se sienta atraído por una mujer que necesita servir de madre y proteger a un hombre.

Esta clase de mutua satisfacción de necesidades es lo que el mundo generalmente llama amor, y desde el punto de vista del ego provee la base para "un matrimonio hecho en el cielo". En verdad, sin embargo, tal relación de amor especial se fundamenta en nuestra percepción egocéntrica de la capacidad de la otra persona para darnos lo que creemos que nos falta. Esto es, por lo tanto, solamente una ilusión de amor y nada más que un velo de odio, ya que el mismo se basa en el odio a nosotros mismo que produce la culpa. Los objetos de nuestro "amor" se convierten en símbolos de este odio, pues en ellos vemos inconscientemente nuestra propia debilidad y nuestras propias faltas lo mismo que ellos las ven en nosotros. En esto radica la causa real de la ambivalencia que parece ser una parte inevitable de la mayoría de las relaciones interpersonales.

La relación especial no tiene nada en común con el verdadero amor, aunque el ego no ve ninguna diferencia entre ellos. La relación especial siempre está basada en la exclusión, mientras que el amor real, por necesidad, descansa sobre la inclusión. De hecho, la relación especial de amor implica la creencia de que el amor no puede compartirse, pues compartirlo se ve como una pérdida. Puesto que la esperanza de salvación se ubica en una persona especial, si la atención de ésta se desvía a otra parte, lo experimentamos como una amenaza. Compartir este amor especial con alguien más es para nosotros perderlo, por lo que tenemos que protegerlo y vigilarlo celosamente, por temor a que la ganancia de otro se convierta en nuestra pérdida. Esta es la base obvia para el adagio popular: "Dos es compañía; tres es multitud".

Aquí, como siempre, el ego nos dice una cosa cuando quiere decir otra. Por una parte nos insta a un intento absurdo de completarnos en relaciones especiales, y de este modo deshacernos de nuestro sentido de escasez y de la creencia en la culpa. Por otra parte, sin embargo, su propósito es esconder la culpa bajo un disfraz de amor, con lo cual está reforzando la misma.

Capítulo 1   LA DINÁMICA DEL EGO

Al ubicar fuera de nosotros la solución al problema de culpa, el ego se asegura de que éste jamás se resolverá. Esto está de acuerdo con su dictamen fundamental: "Busca, pero *no* halles" (T-12.IV.1:4). Nosotros ponemos nuestra fe en ídolos, de cuyos pies de barro todos estamos dolorosamente conscientes. De este modo nos movemos de una relación poco satisfactoria a otra, siempre obtenemos un resultado decepcionante y jamás nos damos cuenta de que el fracaso radica en nosotros mismos. Mientras seguimos ignorando la verdadera motivación del ego, no podemos cuestionar el problema con honradez y así su capacidad ilusoria para darnos un sentido de plenitud propia permanece indisputable.

Hay un aspecto de la relación de amor especial más insidioso aún. Al buscar en los demás únicamente aquellas cualidades especiales que parece que llenan nuestras necesidades especiales, nos incapacitamos para verlos como realmente son. Cómo los vemos está determinado por cómo queremos que sean. Los amamos por lo que pueden hacer por nosotros y por lo que pueden darnos, no por nada inherente en ellos mismos. Al negar así su verdadera Identidad en Dios y al negar el Cristo en ellos, atacamos verdaderamente su realidad y la nuestra. Ellos existen solamente para satisfacer nuestras necesidades, y este mal uso del verdadero propósito de las relaciones tiene que llevarnos a aumentar nuestra culpa. Aquí el propósito subyacente del ego de atacar, claramente contradice los dos grandes mandamientos de amor de Jesús. En el sistema de pensamiento del ego éstos se convierten en: "Ataca a tu vecino como te atacas a ti mismo y así atacas a Dios".

Otra expresión de especialismo es la relación especial de odio la cual realmente difiere de la relación especial de amor en forma más bien que en contenido. El odio es simplemente más obvio puesto que la relación es, con toda claridad, una de ira y ataque. Alguien se convierte en el foco de nuestra ira, y alimentamos el recuerdo de todo lo que ha hecho para herirnos. Repito, el propósito del ego es el mismo: la perpetuación de la culpa bajo la apariencia de autoprotección. El odio y la ira son sólo intentos de proyectar nuestra culpa sobre otras personas. Esto está expresado en la fórmula básica: "No soy el culpable sino tú que has hecho una cosa terrible, la cual merece castigo y no puede perdonarse".

He aquí la atracción real del especialismo del ego. No podemos atacar a alguien sin que nos sintamos culpables, pues en cierto nivel sabemos que estamos atacando injustamente al proyectar nuestra culpa sobre él. La ira, de acuerdo con el Curso, implica siempre tal proyección, no importa cuán justificada nos parezca. La situación externa nunca justifica suficientemente nuestras reacciones hostiles. Así vemos por qué el ego valora tanto la ira. Mientras más atacamos más culpables nos sentimos y más aumenta nuestra necesidad de proyectar la culpa y atacar nuevamente.

Es por esta razón que el Curso describe la relación especial como el hogar escogido por el ego. Es realmente el hogar de la culpa porque refuerza nuestra creencia en la realidad de la existencia del ego y nuestra separación de los demás y de Dios. Es para proteger su "hogar" que el ego siempre se esfuerza por justificar la ira. No hay límite para la ingeniosidad del ego en inventar formas de lograr su propósito de justificar el ataque y así aumentar la culpa. Todo lo que los demás hacen ofrece más amplio testimonio de su culpabilidad ante nuestra percepción. Una relación distorsionada de causa y efecto se establece de esa manera. Los demás se convierten en la "causa" de nuestra infelicidad, y seguimos diciéndoles, a medida que sus pecados cobran más y más importancia en nuestra percepción, que ellos están sacrificándonos debido a su egoísmo. Así los hacemos culpables de la miseria que en realidad hemos escogido nosotros mismos, ya que la responsabilidad de nuestra culpa se ha puesto en hombros distintos de los nuestros. Por lo tanto, parecemos incapaces de librarnos de nuestro sufrimiento porque hemos olvidado dónde verdaderamente radica el problema.

Capítulo 2

EL PERDÓN

El Espíritu Santo

Si la voz del ego fuera la única que escuchamos, en efecto, no habría esperanza. Sin embargo, Dios no nos ha dejado sin El. Dentro de nuestras mentes El ha ubicado su Voz, el Espíritu Santo, para recordarnos quiénes somos realmente, y que nuestra verdadera Identidad permanece en El. En este sentido, el Espíritu Santo se puede ver como la respuesta de Dios al ego. El habla por la parte de nosotros de la cual nos hemos olvidado, nuestro verdadero Ser, y nos llama a regresar a esta conciencia que nuestro miedo y culpa mantienen escondida.

El Espíritu Santo media por nosotros obrando a través del falso yo que hemos hecho, para conducirnos de regreso al Ser que Dios creó. El toma todas nuestras falsas defensas y percepciones y, al cambiar su propósito, las usa para ayudarnos a ir más allá de las ilusiones hacia la verdad de Dios. El es nuestro Maestro, cuyas lecciones son cuidadosamente planeadas para hacer posible que hagamos este cambio del propósito del ego al propósito Suyo. El perdón es el gran instrumento de enseñanza que usa el Espíritu Santo para efectuar este cambio. La manera en que lo usa es la enseñanza central del Curso.

El significado del perdón

El Curso tiene una definición inusual de perdón: perdonamos a los demás por lo que *no* nos han hecho. Es imposible practicar el verdadero perdón mientras creamos que se ha hecho algo para herirnos y que en nuestra "bondad" lo pasaremos por alto. El perdón se convierte en un instrumento del Espíritu Santo al cambiar nuestra percepción referente a los "pecados" de los demás contra nosotros. Esto está más claro a la luz de lo que ya se ha dicho acerca de la inversión del ego en aferrarse a la culpa, y cómo éste usa la proyección para convencernos de la realidad del mundo pecaminoso que percibimos.

Para el ego es imperativo que percibamos ofensa en los demás, pues es así cómo nos "protege" de verla en nosotros mismos. Por lo tanto, su plan de salvación demanda que primero veamos los pecados de los demás como reales y que luego los perdonemos y los pasemos por alto. Nada, sin embargo, se ha perdonado realmente porque nuestra percepción del ataque no ha cambiado. El perdón entonces se convierte nada más que en una defensa adicional en el arsenal del ego; una particularmente insidiosa, puesto que la misma proclama santurronamente que es generosa y hasta caritativa. La culpa es reforzada más bien que puesta a un lado, y el amor que supuestamente el perdón fomenta se torna aún más oscuro debido al odio que continuará proyectándose. Además, la diferencia percibida entre nosotros y aquellos a quienes perdonamos aumenta de este modo, ya que nos vemos a nosotros mismos como "mejores" mientras que ellos son "peores". Nuestro sentido de separación se incrementa en vez de sanarse.

El plan de perdón del Espíritu Santo deshace el problema en su raíz y permite así que ocurra el cambio de percepción, que sólo puede ofrecer el verdadero perdón. El Espíritu Santo utiliza la misma ley fundamental que usa el ego, pero de manera distinta. De acuerdo con el Curso, el extenderse a sí misma es un atributo básico de la mente. No podemos escapar de esta ley. Sólo podemos elegir si la utilizamos para extender el Amor del Espíritu Santo o para proyectar el miedo del ego. Esta elección depende de lo que creamos que somos.

Capítulo 2   EL PERDÓN

Si nos identificamos con el Cristo, nuestra verdadera Identidad en Dios, será Su Amor lo que extenderemos a los demás y será a través de su visión que percibiremos el mundo. Si, por el contrario, nos identificamos con el ego, y creemos que estamos separados de nuestra Fuente Que es Amor, será la creencia en la separación la que proyectaremos sobre los demás y sobre el mundo. Sólo estas dos alternativas son posibles; extensión o proyección, Dios o el ego, miedo o amor. Nuestra elección no afecta nuestra verdadera realidad en modo alguno, pero *sí* afecta lo que creemos que es nuestra realidad. Nuestro libre albedrío, como el Curso nos recuerda a menudo, nos permite únicamente elegir lo que creemos. Nuestra realidad es creada por Dios y por lo tanto es invulnerable.

Cuando nos sentimos temerosos, culpables, desposeídos y separados, proyectamos este juicio sobre el mundo y por consiguiente lo consideramos un lugar peligroso y hostil. La extensión de amor es el cambio en nuestra percepción que nos permite ver inocencia donde había culpa, amor donde había miedo y perdón donde había condenación. Es, de hecho, imposible para nosotros identificarnos con el amor y no ver el mundo a través de los ojos de la inocencia, del amor y del perdón. Cuando sentimos ira o desengaño, o experimentamos odio o condenación es porque no nos hemos identificado con la verdadera naturaleza de nuestra realidad. El problema, por lo tanto, está en nosotros y no en el mundo externo. Si podemos reconocer Quiénes somos verdaderamente y si podemos sentir la seguridad y el poder de Dios en nosotros, entonces nuestras percepciones reflejarán paz y amor. Sin embargo, hasta que no ocurra este cambio interno, ningún cambio externo será suficiente para traernos esta experiencia. Este es el regalo gratuito de Dios para nosotros cuando estemos listos para aceptarlo.

El juicio del Espíritu Santo

La diferencia entre las percepciones del ego y las del Espíritu Santo se entienden mejor en términos del juicio. Para el ego el mundo es un lugar de condenación. Para el Espíritu Santo el mundo provee oportunidades para perdonar. El también hace juicios, y quisiera que nosotros juzgáramos como El, ya que la total ausencia de juicio es imposible en este mundo. El objetivo de Su juicio, sin embargo, es el perdón, mientras que el del ego es castigar y reforzar la culpa.

Capítulo 2   EL PERDÓN

Es el deseo de ayudar más bien que de condenar lo que distingue las decisiones del Espíritu Santo de las del ego. Por ejemplo, evitar que una persona ataque a otra se puede hacer por temor o por el deseo de contra-atacar si la acción está motivada por el ego. Por otra parte la misma acción, si se lleva a cabo bajo la dirección del Espíritu Santo, puede convertirse en un medio para ayudar a la persona y de evitar que cometa un error e intensifique la culpa que inevitablemente resultaría de su acto.

El Juicio del Espíritu Santo es consistente y reconoce solamente dos alternativas. La gente obra por amor o pide amor. El Espíritu Santo no ve otras alternativas. La tremenda sencillez de su enseñanza puede encontrarse aquí, pues no importa en qué categoría se ubique una acción, nuestra respuesta debe ser la misma. Si entendemos que las personas están pidiendo ayuda y el amor que no experimentan en sí mismas, ¿cuál puede ser nuestra respuesta sino un intento de compartir nuestro amor con ellos? Y si los demás nos están ofreciendo amor, el amor en nosotros sólo puede apresurarse a recibir el suyo. De una u otra manera, nos extendemos hacia ellos a través del amor. Responder de cualquier otro modo, por lo tanto, tiene que ser una respuesta del ego.

Cada vez que sentimos que las personas nos están atacando, el Espíritu Santo nos recuerda amorosamente que ellos nos están pidiendo ayuda. Sus intentos aparentes de herirnos sólo reflejan su propio miedo y culpa, y sus deseos de proyectarlos sobre nosotros. Aquellos que experimentan la paz de Dios jamás podrían atacar a otros. Por lo tanto, los ataques que se perciben tienen que deberse a la falta de conocimiento de la presencia de Dios en sus vidas. Están realmente pidiendo ayuda, suplicando que pasemos por alto la culpa que ven en sí mismos y que más bien demos testimonio de la realidad de sus vidas en Cristo. Cuando les respondemos a los demás como si nos hubieran atacado, solamente confirmamos su miedo con el nuestro. Nuestra defensiva prueba la necesidad de la de ellos, y permanecen aprisionados en el miedo junto con nosotros. Pero cuando compartimos la percepción del Espíritu Santo, podemos ver sus ataques como expresiones de su necesidad de ayuda.

Al mirar más allá del miedo en los demás hacia el rostro del Cristo en ellos, la faz de la inocencia y de la paz que es su Identidad real, estamos reconociendo esa misma Identidad en nosotros. Nuestra indefensión les demuestra que sus ataques no tuvieron verdadero efecto en nosotros, ya que el Cristo se mantiene por encima del ataque. De esta manera, damos testimonio de su inocencia tanto como de la nuestra. Lo que había sido un campo de batalla se convierte en un altar; una guerra entre egos separados se ha transformado en una comunión de amor.

Este cambio de percepción puede ocurrir repentinamente en lo que el Curso llama "instante santo", el cual permite que ocurra el milagro o la corrección del Espíritu Santo. La corrección del Espíritu Santo es el milagro del perdón. Es esto lo que reemplaza culpa por santidad, ilusión por verdad, y oscuridad por luz. Es santo porque refleja el Amor de Cristo. Como afirma el Curso: "El más santo de todos los lugares de la tierra es aquel donde un viejo odio se ha convertido en un amor presente" (T-26.IX.6:1).

Cada situación es una oportunidad para lograr esta transformación, si sólo elegimos verla de esa manera. Cada encuentro es un encuentro santo debido al potencial de perdón que nos ofrece. La ira de nuestro prójimo se convierte en una oportunidad para que el Espíritu Santo nos recuerde nuestra Identidad en Dios. Como dice el Curso:

> ¡Alegrémonos de poder caminar por el mundo y de tener tantas oportunidades de percibir nuevas

situaciones donde el regalo de Dios se puede reconocer otra vez como nuestro! (T-31.VIII.9:1)

Es ésta la oportunidad de perdón que constituye la meta del Espíritu Santo para todas nuestras relaciones y el único verdadero propósito de éstas, ya sean encuentros casuales o relaciones más duraderas tales como el matrimonio o amistades de toda la vida.

El plan de perdón del Espíritu Santo

Quizás no sea muy aparente la razón por la cual el verdadero perdón contiene propiedades tan poderosamente sanadoras, y provee oportunidades para los cambios tan impresionantes que resultan en las relaciones. No podemos deshacer los sentimientos de culpa directamente debido a la intensidad de nuestro miedo hasta de reconocerlos. Creemos que verlos nos traería la muerte más bien que el perdón. Por lo tanto, necesitamos otra manera de capacitarnos para deshacer nuestra creencia en la culpa. Esta manera radica en la reinterpretación que hace el Espíritu Santo de las defensas que fabricamos para mantener a Dios separado de nosotros, transformándolas en caminos que nos conducen de vuelta a El. La misma culpa que proyectamos sobre los demás provee las oportunidades para el perdón que deshace la culpa enteramente. La consumación de este proceso de remover la culpa es lo que el Curso llama "la Expiación".

Aquellos con quienes nos relacionamos son enviados a nosotros para este propósito de expiación, así como nosotros somos enviados a ellos. No hay accidentes en el plan de salvación, y todo lo que nos ocurre —las situaciones que surgen, la gente que parece que nos encontramos por casualidad— son parte del plan bajo la guía particular del Espíritu Santo. Cada incidente en nuestras vidas nos provee otra oportunidad para aprender Su única lección de perdón. "Todas las cosas son lecciones que Dios quiere que yo aprenda", como afirma una de las lecciones del libro de ejercicios (L-pI.193). La lección es siempre permitir que el perdón reemplace el juicio. En palabras del Curso: "Las pruebas por las que pasas no son más que lecciones que aún no has aprendido que vuelven a presentarse de nuevo a fin de que donde antes hiciste una elección errónea, puedas ahora hacer una mejor…" (T-31.VIII.3:1).

El Curso enseña que toda forma de aflicción refleja alguna falta de perdón en nosotros. Pedimos a Dios que nos ayude, y no siempre entendemos la clase de ayuda que necesitamos, puesto que no reconocemos el problema real. Su respuesta llega en la forma de una relación: una oportunidad de reconocer el Cristo que vive en nosotros y en los demás también. Proyectamos la culpa que sentimos en nosotros sobre nuestro prójimo y así, la luz de Cristo es envuelta en la oscuridad de nuestra culpa. En palabras del Curso: "Si no te habla de Cristo, es que tú no le hablaste de Cristo a él" (T-11.V.18:6). Sin embargo, al mirar más allá de la oscuridad y perdonar a otra persona, afirmamos la realidad de la vida de Cristo en los dos. La culpa que vemos deshacerse en otros también se deshace en nosotros. Sus pecados han sido perdonados en nosotros como los nuestros han sido perdonados en ellos. Nuestra oscuridad se disipa al unirnos con otro en la luz: la unión que deshace nuestra creencia en la separación. "Al arca de la paz," como nos recuerda el Curso, "se entra de dos en dos" (T-20.IV.6:5). Así la maldad de la relación se transforma en santidad cuando la bendición del Espíritu Santo se deposita sobre la misma.

Capítulo 2   EL PERDÓN

La práctica del perdón

Si bien el perdón teóricamente se puede lograr en un instante, en la práctica el proceso usualmente toma más tiempo. El mismo requiere muchos "instantes santos". Es extremadamente difícil renunciar a toda una vida de miedo y culpa, y las defensas del ego sólo se pueden abordar despacio y gradualmente. Debemos ser pacientes con nosotros mismos, como el Espíritu Santo es paciente con nosotros. En efecto, puede haber cambios repentinos en la vida de una persona. Esta puede cambiar dramáticamente de una orientación egocéntrica a una actitud espiritual hacia si mismo y hacia los demás. Sin embargo, hasta las súbitas experiencias de conversión de algunos de los grandes santos representan las etapas iniciales de sus vidas espirituales más bien que la consumación de las mismas.

Cuando examinamos la vida espiritual desde la perspectiva del Curso, la naturaleza de la lucha y la necesidad de paciencia y amabilidad se hacen aparentes. El obstáculo al amor es el miedo, y por consiguiente el miedo debe ser trascendido si se va a aceptar el amor como nuestra única realidad. Debemos reconocer un problema antes de que éste pueda resolverse. Mirar el miedo y la culpa es aterrador por definición y también por experiencia. A medida que continuamos progresando en la vida espiritual, sin embargo, seremos confrontados progresivamente con situaciones dolorosas. A veces hasta podemos experimentar un acrecentado sentido de desesperanza. Esto se debe a que nos estamos acercando a esas áreas de culpa y de miedo más profundas, más reprimidas, y el ego grita: "Detente. No sigas adelante". Esta es la visión del Curso de "la noche oscura del alma," el período de mayor aridez que precede la experiencia final de unión con Dios y que tradicionalmente es la meta del místico. Uno se está aproximando al mismísimo lecho de roca del sistema del ego; la oculta piedra angular de la culpa que la relación especial protege.

Desesperadamente el ego intenta detener este paso final de su des-hacimiento y en un "esfuerzo por quemar su último cartucho" trata de atacarnos como jamás lo había hecho antes. Es en este punto que todo el terror de nuestra culpa queda al descubierto, y la tentación de retroceder y volver a la "comodidad" del ego se hace más fuerte. Pero si estamos dispuestos a aprender todas las lecciones del Espíritu Santo tal como El nos las presenta, seremos capaces de reconocer que la comodidad del ego es una ilusión, como lo es la culpa que nos ha aterrorizado.

El currículo del Espíritu Santo para cada uno de nosotros está planeado individualmente, de modo que podamos acercarnos a este paso final en la forma más conveniente para nuestro aprendizaje. Paso a paso El nos guía y nos pide únicamente que lo sigamos a lo largo del camino. Las oportunidades de aprendizaje son ordenadas cuidadosamente, lo cual nos capacita para practicar las lecciones de perdón una y otra vez. Cada lección es realmente la misma, pero debemos aprenderla en una miríada de formas hasta que alcancemos el punto donde entendamos su aplicación universal. La señal de que estamos dispuestos a aprender el perdón como lo enseña el Curso, es nuestra disposición a practicar lo que éste dice, no sólo al estudiar las lecciones del libro de ejercicios, las cuales incluyen aplicaciones prácticas de los principios del texto; sino también al aceptar las oportunidades diarias de aprendizaje que el Espíritu Santo nos provee para practicar el perdón.

Gran parte de nosotros tiene la tendencia, que las primeras lecciones del libro de ejercicios en particular intentan contrarrestar, de excluir a cierta gente o ciertas situaciones como sujetos dignos de perdón. Creemos, por ejemplo: "Puedo perdonar todo lo que esa persona hizo excepto esa única cosa terrible", "Puedo perdonar a todos los que conozco excepto a_____, debido a lo que me hizo", o "Estoy dispuesto a permitir que el Espíritu Santo tome ciertas decisiones por mí, pero ésta en particular prefiero tomarla yo". Evasiones en formas menos obvias pueden aparecer de esta manera: "Este problema no es lo suficientemente importante para molestar al Espíritu Santo", o "Esta no es una cuestión espiritual, de modo que me corresponde a mí resolverla". Cada uno de nosotros está familiarizado con esta clase de racionalización, pues nadie está enteramente libre de los intentos de mantener algunos problemas sin resolver. Esto ocurre a menudo sin que estemos conscientes de ello, lo cual constituye una razón adicional para continuar practicándolo.

El Curso enseña, invirtiendo el famoso adagio, que cuando el maestro esté listo aparecerá el discípulo (M-2.1). Cuando estamos listos para ofrecer perdón, el Espíritu Santo nos envía a alguien que lo reciba, de modo que ambos seamos bendecidos. Si en nuestro miedo fallamos en aprovecharnos de una oportunidad, el Espíritu Santo esperará hasta que estemos listos para intentarlo otra vez y entonces nos proveerá otra. No hay límites para la cantidad de horas de clases que Él nos ofrece.

Capítulo 2   EL PERDÓN

Cómo orar por perdón

La práctica del perdón es importante por una razón adicional. La gente tiene la fuerte tentación de recurrir a soluciones mágicas para sus problemas y de ese modo evitar el verdadero cambio. Hasta la oración puede usarse equivocadamente de este modo. Jesús enseñó que si pedimos recibiremos, y que nuestro Padre amoroso jamás rehusará una súplica. Sin embargo, a menudo la gente ha pedido la ayuda de Dios para la solución de un problema, y ha esperado con desilusión y creciente ira por la ayuda que jamás ha llegado. El problema no es que Dios haya rechazado su ruego sino más bien que ellos no se han dado cuenta de lo que verdaderamente han pedido. Aún cuando estaban pidiendo ayuda y aparentemente no deseaban nada más que lograr que su problema se resolviera, la voz del ego estaba instándoles a que se aferraran al mismo. El miedo puede ser tan grande todavía que no estemos listos para soltar el problema.

Todos estamos relativamente familiarizados con semejantes dobles mensajes. Entendemos demasiado bien lo que un comediante muy conocido se proponía cuando levantaba su mano derecha, instando modestamente al auditorio a que dejara de aplaudir, mientras que con su mano izquierda les estaba instando vigorosamente a que continuaran aplaudiendo. San Pablo expreso en un nivel diferente un sentimiento parecido cuando dijo:

> Realmente, mi proceder no lo comprendo; pues no hago lo que quiero, sino que hago lo que aborrezco....puesto que no hago el bien que quiero, sino que obro el mal que no quiero. Y, si hago lo que no quiero, no soy yo quien lo obra, sino el pecado que habita en mí (Rm 7:15,19-20).

Confrontado por esta clase de conflicto, un conflicto en el cual nosotros hemos elegido permanecer, Dios esperará. El jamás violará nuestro libre albedrío, y mientras el miedo nos impulse a retener nuestras defensas. El no nos las arrebatará por la fuerza. ¿Cómo debemos orar entonces cuando estamos acosados por el miedo, la culpa, la ansiedad o la depresión? El Curso enseña que la única oración que tiene sentido es la que rezamos por alguna forma de perdón puesto que tenemos todo lo demás. Unicamente nuestro perdón es necesario para remover las interferencias que nos impiden experimentar el regalo ilimitado de Dios: la comunión con El que es el mayor alcance de la oración. No necesitamos pedir nada más puesto que ya lo hemos recibido todo. Lo único que necesitamos es abrirnos a la ayuda que el Espíritu Santo provee para permitirnos que perdonemos a otros de modo que nuestros pecados puedan ser perdonados.

El Curso pone marcado énfasis en esta especificidad, puesto que es a través del enfrentamiento con cada problema específico que el hábito del perdón se puede generalizar finalmente. En cada ocasión, debemos aprender a traer la oscuridad de nuestras percepciones erróneas a la luz de la verdad. No debemos ocultarle ningún secreto culpable a Aquél Que ha venido a ayudarnos, sino que debemos aprender a aceptar nuestra responsabilidad por la miseria que sentimos sin desplazar su causa hacia los demás.

Cuando nos sintamos deprimidos o ansiosos, temerosos o airados, debemos estar dispuestos a decir en oración:

> Hoy no dejo que los pensamientos del ego dirijan mis palabras o acciones. Cuando se presenten, los observaré con calma y luego los descartaré. No deseo las consecuencias que nos acarrearían. Por lo tanto, no elijo conservarlos. Padre, hoy quiero oír sólo tu Voz. No tengo otra oración que ésta: que me des la verdad (Adaptado de la lección 254, [L-pII.254]).

Sólo así serán contestadas nuestras oraciones, serán sanados nuestros problemas y nuestra función como mensajeros de Dios nos permitirá ser la fuente de luz que el Espíritu Santo quiere que seamos.

El proceso del perdón

En el Curso la palabra "función" se usa en dos niveles. Uno es común a todos nosotros. El otro se refiere a las responsabilidades y papeles específicos que el Espíritu Santo nos asigna a cada uno individualmente. En un nivel más profundo todos compartimos una función: el propósito que le da significado a nuestras vidas y a los esfuerzos para encontrar este significado. Ese es el propósito del perdón. Nuestras vidas son los salones de clases en los cuales aprendemos el perdón como lo enseña el Espíritu Santo. La centralidad de esta lección en nuestras vidas y, de hecho, la que es nuestra única lección, está resumida en un tema básico del Curso: "La única responsabilidad del obrador de milagros es aceptar la Expiación para sí mismo" (T-2.V.5:1).

En este nivel nuestro único interés es deshacer la interferencia que hemos puesto entre nosotros y Dios, de modo que podamos convertirnos en los canales claros e instrumentos de Su paz que El quiere que seamos. En un sentido, pues, no necesitamos hacer nada. Esto no significa que nos sentemos ociosamente a esperar que el Cielo se abra. Pero sí significa que nosotros solos no *podemos* hacer nada, y por lo tanto nuestro único propósito significativo es *deshacer* los obstáculos que le hemos puesto al Unico Que puede, tal como El manifiesta Su amor y paz a través de nosotros. El perdón como lo enseña el Curso, meramente nos permite deshacer los errores que hemos cometido. Y eso es suficiente, pues lo que queda entonces es la Voluntad de Dios.

La resistencia a permitir que la Voluntad de Dios sea nuestra única voluntad es muy poderosa mientras deseemos algo en este mundo, bien sea material o psicológico. Nuestra parte consiste en afirmar nuestra disposición a permitir que la Voluntad de Dios se convierta en nuestra única realidad. Nuestra función no es cambiarnos, sino meramente querer que ese cambio ocurra. El perdón es lo que permite que esto suceda.

El proceso de perdón consiste de tres pasos sencillos. El primer paso es reconocer que el problema no es externo sino interno. Este está basado en la comprensión final de que nuestra percepción de culpa en otro es realmente una proyección de la nuestra. El primer paso, pues, trae el problema adonde pertenece: de vuelta a nosotros mismos donde se originó. Es el paso que trae el problema a la Respuesta: el Espíritu Santo que vive dentro de nosotros. Ahora aprendemos a decir: "Este problema que veo lo hice yo. No tiene realidad más allá de mi creencia en él. Es mi interpretación la que ha causado mi pérdida de paz".

Ahora que hemos reconocido la responsabilidad por nuestra percepción, debemos decidir si continuamos considerando la situación de esta manera, o si preferimos elegir una alternativa mejor. Este segundo paso es crucial, pues de él depende el mundo en el cual elegimos vivir y el yo que deseamos ser. Es la decisión entre Dios y el ego; entre felicidad y miseria; entre verdad e ilusión. El Curso recalca repetidamente el poder de la mente. Si elegimos identificarnos con la Voluntad de Dios, de hecho, podemos mover montañas. Pero también podemos elegir oscurecer Su Voluntad, y permanecer impotentes y débiles, sujetos a las limitaciones de este mundo y desconectados de las leyes de Dios. En palabras del Curso, la elección es siempre entre nuestra debilidad y la fortaleza de Cristo en nosotros (T-31.VIII.2:3). La decisión de abandonar el ego es la decisión de invitar al Espíritu

Santo a que tome su lugar. El segundo paso, por lo tanto, puede expresarse en esta aseveración: "He escogido equivocadamente y ahora quiero escoger otra vez. Esta vez elijo con el Espíritu Santo y Le permito que tome la decisión por mí".

Los dos primeros pasos abren el camino para el tercero, que es la obra del Espíritu Santo más bien que la nuestra. Es El Quien se convierte ahora en el agente que toma las decisiones en nuestras vidas. Nuestra única responsabilidad es practicar el perdón que representan los dos primeros pasos. Lo demás le corresponde a El. Este es el significado de una de las lecciones del libro de ejercicios: "Me haré a un lado y dejaré que El me muestre el camino" (L-pI.155). Ahora somos libres para pedirle a nuestro Maestro que nos dirija hacia la función particular que El nos ha reservado en Su plan de salvación.

Cómo pedirle al Espíritu Santo

Una vez el camino está claro para el Espíritu Santo, podemos empezar a asumir nuestra función específica de enseñar. A menudo este es un período crítico en la vida del aprendiz espiritual. Es aquí que caemos en la tentación de definir lo que debe ser este papel, y lo que debemos hacer para lograrlo. Es cuando experimentamos esta tentación que necesitamos permanecer callados y escuchar la Voz de Dios. El Curso destaca repetidamente la importancia de pedir la ayuda del Espíritu Santo y de escuchar Su respuesta. De hecho, es un objetivo principal del Curso, y más específicamente del libro de ejercicios, el adiestrarnos para reconocer la diferencia entre la voz del ego y la del Espíritu Santo, y para elegir únicamente la Voz que habla por nuestro verdadero Ser.

Una vez más, la importancia del perdón es subrayada. Mientras nos sintamos culpables es imposible que escuchemos la Voz de la inocencia. Como nos dice el Curso: "El ego siempre habla primero" (T-6.IV.1:2); éste puede hablar en voz alta y de manera convincente, pero siempre está equivocado. No podemos escuchar dos voces o servir a dos amos. Escuchar una voz es excluir la otra automáticamente. Los chillidos roncos de culpa y miedo del ego ahogan la Voz Que habla solamente de amor y perdón. Es únicamente a medida que disminuimos nuestra inversión en el ego que el Espíritu Santo puede ganar claridad y poder.

Lo que refuerza nuestra capacidad para escuchar es nuestra disposición a entregarle todos nuestros problemas al Espíritu Santo sin considerar la forma de éstos, y de referirle a Su sabiduría todas las preguntas para las cuales necesitemos respuestas. Ningún problema es demasiado grande o demasiado pequeño para que El no nos lo resuelva. El no juzga que un pedido de amor sea más importante que otro. La Voz de Dios no es disminuida por los límites que nuestros juicios quieran imponer. No importa que nuestra preocupación parezca seria o tonta, que envuelva una decisión vital o una que parezca trivial, el hecho de que sea un problema para nosotros es suficiente para que El nos ayude. El sólo espera que se lo pidamos.

Cuando uno piensa en cualquier problema de manera realista, se hace bastante aparente que hay una gran sabiduría práctica al pedirle ayuda al Espíritu Santo en cada uno de ellos. Como nos enseña el Curso, es realmente imposible tomar una decisión prudente sin El. Tomar tal decisión requeriría conocer cada aspecto de una situación dada, pasado, presente, y futuro y reconocer en qué forma la elección afectaría a todos los que serán tocados por ésta. ¿Cómo podemos saber todo esto? Y además, ¿cómo, realmente, se puede tomar la decisión correcta sin ese conocimiento? Debemos recurrir, por lo tanto, al Unico Que *sí* conoce todos los factores. Su juicio jamás está equivocado. Como nos recuerda el Curso,

¿podemos decir lo mismo acerca del nuestro (M-10.3:3-7; 4:7-10)?

Creer que sabemos lo que es correcto para nosotros, para aquellos cerca de nosotros, y menos aún para el mundo entero, es verdaderamente arrogante. La mayoría de nosotros somos muy diestros engañándonos sobre este particular. Es fácil cubrir nuestra arrogancia con la excusa de justicia, amor, libertad y espiritualidad. La tentación de hacer esto debe reconocerse totalmente. Sólo necesitamos considerar cuánta sangre se ha derramado en nombre del amor para darnos cuenta de que esto es así. Solamente si seguimos la dirección del Espíritu Santo podemos estar seguros de que no hay ataque. En Su manera de resolver un problema, en contraste con la del ego, nadie puede perder y todo el mundo debe ganar. El no le quita a Pedro para pagarle a Juan. El amor sólo puede dar. Jamás quita. Debemos unirnos todos a la mesa de comunión del amor.

Quizás al principio parezca el colmo de la arrogancia creer que el Espíritu Santo está tan íntimamente relacionado con la minucia de nuestras vidas diarias. Es, sin embargo, únicamente el ego el que quiere persuadirnos de que somos indignos de estar en constante comunicación con la Voz de Dios. Realmente, tal creencia no es nada más que falsa humildad. Creer en la realidad de nuestra minusvalía es creer que el propio juicio amoroso de Dios está equivocado. ¿Qué otra cosa puede ser esta percepción *sino* arrogancia? Es el problema de autoridad, discutido arriba, lo que fundamenta esta creencia: la insistencia arrogante del ego de que él y no Dios, es nuestro creador, y que nos ha formado a su imagen y semejanza.

El permitir que el Espíritu Santo tome nuestras decisiones representa la disolución final del problema de autoridad puesto que ello reconoce nuestra verdadera fuente. Al transferirle a El la responsabilidad de nuestras acciones, nos absolvemos de culpa. Hemos afirmado el hecho de que no hemos hecho nada por iniciativa propia, y de que hemos devuelto la dirección de nuestras vidas a Aquel a Quién le corresponde. Al unirnos con el Poder del universo, la fuerza de Cristo se ha convertido en nuestra fuerza.

El maestro de Dios

Armados con la fortaleza de Cristo estamos preparados para salir al mundo y hacer el trabajo del Espíritu Santo. Estamos dispuestos a recibir la dirección de Dios, para que Su Voluntad se haga verdaderamente en la tierra. Nos hemos convertido en Sus mensajeros o maestros, al traer Su amor y paz y perdón a un mundo que estaba sin ellos. Como mensajeros de Dios, los mensajes que portamos debemos dárnoslos a nosotros mismos primero, convirtiéndonos en receptores así como en dadores de los regalos de Dios. En palabras del Curso: "Dar este regalo es la manera de hacerlo vuestro. Y Dios ordenó, con amorosa bondad, que lo fuese" (T-31.VIII.8:6-7).

Pero para recordar que El nos da Sus regalos para siempre, los maestros de Dios deben mantenerse alerta en contra del ego en sí mismos. Si detectan algún rastro de ira o impaciencia, deben reconocer rápidamente que el miedo ha penetrado en sus corazones y deben permitir que el perdón los purifique de nuevo. Este es un proceso progresivo. El compromiso con las lecciones de pureza del Espíritu Santo nos asegura que el trabajo que debemos hacer se hará de tal manera que la paz vendrá al mundo y a todos en él. Tal es la promesa de Dios. Tal es Su Voluntad. Tal es la santa función que El nos ha encomendado.

Capítulo 3

JESÚS

El ejemplo personal de Jesús

Muchos elementos en la vida de Jesús tienen particular aplicabilidad a la enseñanza. El Curso indica que hay diferentes maneras de enseñar, pero que la más importante es por medio del ejemplo (T-5. IV.5:1). Las enseñanzas verbales de Jesús no hubieran logrado el peso que tuvieron, y que aún tienen, de no haber sido por su ejemplo personal. De él se dijo que hablaba con autoridad, y que esa autoridad era de Dios. Quién fue él sigue siendo de la más grande importancia, y este Quién está reflejado en su vida.

La universalidad de la curación de Jesús

Si bien Jesús no vacilaba en traer a la luz el extravío y la falta de fe de la gente, las cualidades sobresalientes que caracterizaron su contacto con los demás fueron su compasión, perdón y amor. Una y otra vez, sin tomar en cuenta el pasado de las personas, la respuesta de Jesús estaba colmada con el amor indulgente de su Padre. No había un pecado demasiado grande para que él no lo pasara por alto porque él jamás olvidaba la verdad en cada uno de los que acudían a él. Su curación era completa, ya fuera física, psicológica o moral, puesto que su perdón era completo. La luz de la verdad, Jesús sabía, era una; así que él comía con publicanos y pecadores lo mismo que con los pobres y los fieles, respondiéndoles a todos como hijos de Dios.

Cuando la gente estaba lista para aceptar la verdad, acerca de Jesús o acerca de sí mismos, en ese preciso momento su pasado desaparecía, y permanecía únicamente el presente vivo que permitía que la luz del Cielo resplandeciera. No hay mejor ilustración de esto en las Sagradas Escrituras que la historia del buen ladrón, cuyos crímenes fueron borrados en el instante que vio la verdad en Jesús y por consiguiente en sí mismo también. Fue debido a este reconocimiento que Jesús pudo decirle: "Yo te aseguro hoy estarás conmigo en el paraíso" (Lc 23:43).

La indefensión de Jesús

Los últimos días de Jesús en Jerusalén, muy especialmente los de su arresto y los incidentes que

siguieron, ofrecen la perfecta demostración de las lecciones de indefensión que caracterizaron todas sus
enseñanzas. Seguro de su Identidad y del propósito
real de su muerte, él podía descansar tranquilo en los
brazos de su Padre. Cuando Jesús fue arrestado en el
Jardín de Getsemaní, Pedro acudió inmediatamente a
la defensa de su Maestro. Desenvainó su espada, gol-
peó a uno de los impresionantes soldados y le amputó
una oreja. De acuerdo con la percepción de Pedro,
Jesús estaba en peligro y necesitaba protección física.
Pero Jesús estaba enseñando una nueva percepción de
un mundo donde la gente en realidad no podía estar en
peligro, porque la fortaleza del Cielo y la protección
de Dios iba con ella. Y así que la respuesta de Jesús a
Pedro fue:

> Vuelve tu espada a su sitio, porque todos los que
> empuñen espada, a espada perecerán. ¿O piensas
> que no puedo yo rogar a mi Padre, Quien pon-
> dría al punto a mi disposición más de doce legio-
> nes de ángeles? (Mt 26:52-53).

Y en el evangelio de Lucas se dice más ampliamente
que Jesús tocó al soldado que Pedro había herido y lo
sanó, corrigiendo así el error de Pedro.

Consciente de su verdadera seguridad, el mismo
Jesús permaneció silencioso cuando fue traído ante

Pilatos y le pidieron que se defendiera. Un Pilatos incrédulo preguntó al silencioso Jesús: "¿No oyes de cuántas cosas te acusan?" (Mt 27:13); y Mateo continúa: "Pero él a nada respondió, de suerte que el procurador estaba muy sorprendido" (Mt 27:14). Aun cuando los soldados continuaban mofándose y escarneciéndolo, Jesús no hablaba, con lo cual daba el ejemplo perfecto de su propio mandato a los apóstoles de que "pusieran la otra mejilla". Por medio de este ejemplo, como él explica en el Curso, enseñó que si bien su cuerpo podía ser atacado e injuriado, su verdadera Identidad en Dios permanecía inexpugnable (T-5.IV.4:4-6; T-6.I).

El más extremo ejemplo de la enseñanza de Jesús se encuentra en la crucifixión misma. Aquí está el punto culminante de todas las lecciones de indefensión y perdón, pues ciertamente estaba dentro del poder de Jesús salvarse a sí mismo. Los espectadores se mofaban de él, diciéndole: "A otros salvó y a sí mismo no puede salvarse....Ha puesto su confianza en Dios; que le salve ahora, si es que de verdad le quiere" (Mt 27:42-43). Sin embargo, era precisamente *porque* confiaba en Dios que Jesús podía permanecer en la cruz, sin temor a la muerte. Al contemplar a la burlona multitud que clamaba por su muerte, Jesús veía únicamente la necesidad de ayuda de ésta, no su odio. El reconocía que sus acciones procedían del miedo al mensaje de amor y a su Padre que lo había enviado. Ellos no sabían lo que se estaban haciendo a sí mismos. Su rabia y sus vituperios fueron transformados en pedidos de ayuda ante la percepción amorosa de él, y la ira se hizo imposible. Vacío de todas las limitaciones humanas que lo habrían separado de la gente que él amaba, Jesús invocó a su Padre en nombre de ellos: "Padre, perdónales, porque no saben lo que hacen" (Lc 23:34). En ese acto de amor único se resumió su mensaje. En ese mismo instante el mundo fue transformado. La luz del perdón había llegado al fin al mundo lleno de oscuridad.

La compleción del perdón

Jesús le dijo a sus discípulos que se animaran, pues él había vencido al mundo. Fue en su total perdón que demostró que lo había hecho. Puesto que él mostró el camino, ahora nosotros podemos seguirlo. El insondable abismo que separaba al hombre de Dios había sido salvado. La exhortación de Jesús a que tomemos nuestra cruz y le sigamos puede considerarse como el proceso de trascendencia del ego que efectúa el perdón, un proceso que la propia vida de Jesús demuestra con tan perfecta pureza. El nos pide que lo sigamos a lo largo del camino, tomando su mano a medida que avanzamos. Nos invita a compartir en su crucifixión de modo que también podamos compartir en su resurrección, la nueva conciencia de la vida eterna de Dios, presente ya en nosotros cuando aceptamos su verdad.

La crucifixión sin la resurrección no significa nada, puesto que la resurrección es la prueba tangible de la realidad de la enseñanza de Jesús. El Curso insta a cada uno de nosotros a seguir sus pasos. Una vez que hemos perdonado completamente, el ego se ha trascendido. El paso final Le corresponde a Dios, Quien se inclina y nos eleva hacia El (T-11.VIII.15:5). Esto es comparable con la enseñanza de la propia vida de Jesús, de la cual da testimonio la crucifixión, la resurrección ejemplifica, y la ascensión completa. Su resurrección demuestra que las leyes de nuestro mundo no lo restringieron, y su amor aún nos dice que éstas no tienen que restringirnos. Nos invita a que sigamos su ejemplo dejando atrás lo que no puede durar, y aceptando el regalo de la vida de Dios que jamás puede morir.

Las enseñanzas de Jesús

El poder de la decisión

Uno de los temas más sobresalientes de las enseñanzas de Jesús es la importancia de la elección y el poder de la decisión. No podemos servirle a Dios y a Mamón, dijo Jesús. Y a nosotros nos corresponde elegir a cuál de los dos queremos seguir. El Reino de los Cielos está muy cerca y debemos decidir si le damos la bienvenida o no. Por medio de muchas parábolas con las cuales él instruyó a sus seguidores, Jesús reitera el tema de la inmanencia del Reino y de la necesidad de que elijamos. El novio se acerca y debemos elegir entre preparar nuestras lámparas para su regreso, o dejarlas vacías de manera que no podamos festejar su retorno con luz. De igual manera, al hablar de las semillas sembradas en el campo, Jesús nos pide que elijamos entre el trigo o la cizaña. Nuestra elección determina nuestra cosecha. Lo que sembremos, eso cosecharemos.

Está abundantemente claro que Jesús no elige por nosotros. Si se lo permitimos, él nos ayudará pero la decisión nos corresponde a nosotros. La verdad espera por nuestra elección, y cuando al fin somos capaces de elegirla todo el poder del Cielo acude en

nuestra ayuda. Concurrente con este énfasis en la
elección es la enseñanza del evangelio sobre el poder
de nuestras mentes. El poder de Cielo y tierra que le
pertenece a Jesús, él nos lo ofrece una vez que compartimos su vida y participamos de sus frutos. Cuando
elegimos rechazar este poder porque tenemos miedo,
nos negamos la paz, el gozo y el bienestar que traen
los frutos del reino. El dolor y el sufrimiento son los
resultados inevitables. "Suponed un árbol bueno, y su
fruto será bueno; suponed un árbol malo, y su fruto
será malo; porque por el fruto se conoce el árbol"
(Mt 12:33).

En el evangelio de Marcos, Jesús instruye a sus
discípulos más explícitamente aún acerca del poder
de elegir y cómo nos afecta la elección.

> ¿No comprendéis que todo lo que de afuera
> entra en el hombre no puede contaminarle…?
> Lo que sale del hombre, eso es lo que conta-
> mina al hombre. Porque de adentro, del cora-
> zón de los hombres, salen las intenciones
> malas…. (Mc 7:18-21).

Aquí Jesús recalca la naturaleza crucial de nuestro
marco de referencias interno. Esto está en contra de la
enseñanza del mundo, que sustenta que somos afectados por lo externo. Cambiamos lo que hay en nuestro
corazón y cambiamos el mundo, pero al cambiar el

mundo no cambiarán nuestros corazones. Esto no funciona de la otra manera. Es por esta razón que Jesús se expresó en contra de la mera obediencia externa de los mandamientos, al destacar nuestra disposición interior: el espíritu de la ley más bien que su letra. Como nos enseñara El:

> Habéis oído que se dijo: No cometerás adulterio. Pues yo os digo: Todo el que mira a una mujer deseándola, ya cometió adulterio con ella en su corazón (Mt 5:27-28).

Cuando nuestros pensamientos se purifican y regresan a su foco natural en Dios, sólo entonces nuestras acciones se purifican también. Cuando nuestros pensamientos se concentran en las cosas de este mundo, bien sea que lo expresemos o no, la paz de Dios no puede ser nuestra. "¡Fariseo ciego, purifica primero por dentro la copa, para que también por fuera quede pura!" (Mt 23:26). El maestro que has escogido como el tesoro de tu corazón se convierte también en el amo de tus acciones.

El poder de la elección es un concepto clave en el Curso. En lenguaje de éste, siempre estamos eligiendo entre las verdades que Dios nos ha dado y las ilusiones hechas por el ego. Elegimos lo que queremos; donde esté nuestro tesoro ahí estará nuestro corazón. Y lo que esté en nuestros corazones será lo que veremos y experimentaremos fuera de nosotros. Es en esto que radica el poder de nuestras mentes. Es el poder que Jesús nos pide que ejerzamos en nombre de nuestra libertad, y que también apliquemos en nombre del Reino.

Los valores por los que aboga Jesús, y los que sustenta el mundo son obviamente contradictorios. La naturaleza invertida de los valores del mundo es un énfasis prominente en el Curso, y uno al cual Jesús se refiere en los evangelios, como, por ejemplo, en las Beatitudes. En otra parte él dice: "Así, los últimos serán primeros y los primeros, últimos" (Mt 20:16); "...Porque lo que es estimable para los hombres, es abominable ante Dios" (Lc 16:15); y, "Os dejo la paz, mi paz os doy, no os la doy como la da el mundo. No se turbe vuestro corazón ni se acobarde" (Jn 14:27). Es únicamente en el abandono de los valores del mundo que se puede encontrar la verdadera paz, pues los valores del mundo representan las sustituciones que el ego ha hecho de Dios. Son, por lo tanto, los valores del miedo y no los del amor. El Curso afirma que el mundo de por sí es neutral. (T-21.in.1; L-pII.294). Es solamente la clase de inversión que ponemos en él lo que determina su valor para nosotros. Cuando ponemos nuestras vidas en manos del Espíritu Santo, el mundo se vuelve santo para nosotros. Cuando se lo dejamos al ego se convierte en un lugar de sufrimiento y de dolor. Por lo tanto, el trascender los valores del mundo representa un cambio en nuestros pensamientos—una decisión que tomamos sobre lo que queremos. Y nuestras percepciones necesariamente obedecerán a nuestra decisión.

El perdón de los pecados

El perdón nos capacita para escoger el Reino de los Cielos en vez del reino de este mundo—la elección que Jesús quisiera que hiciéramos. Puesto que la mente es la que toma las decisiones, la elección es interna, y su expresión es el amor que mostramos los unos por los otros. Es, de hecho, por su amor hacia los demás, nos dice Jesús, que se reconocerá a sus seguidores. Este amor, recalca reiteradamente Jesús, es imposible sin el perdón que remueve la enemistad que nos separa a unos de otros.

La centralidad del perdón en la enseñanza de Jesús es destacada en el Padre Nuestro, la única oración formal que él nos dejó. Solamente perdonando a los demás podemos ser perdonados. Así, en el Sermón de la Montaña Jesús nos dice:

> Si, pues, al presentar tu ofrenda en el altar te
> acuerdas entonces de que un hermano tuyo tiene
> algo contra ti, deja tu ofrenda allí, delante del
> altar, y vete primero a reconciliarte con tu her-
> mano; luego vuelve y presenta tu ofrenda
> (Mt 5:23-24).

Esta aseveración tiene gran validez tanto psicológica como espiritual. Si alguien guarda algún rencor
en contra de ti o tú en contra de él, la paz mental es
imposible, y por lo tanto *no puedes* acercarte al altar
de Dios. La falta de perdón que permanece entre uste-
des es suficiente para mantenerlos separados de Dios.
Una implicación similar se encuentra en las palabras
de Jesús: "En verdad os digo que cuanto hicisteis a
uno de estos hermanos míos más pequeños, a mí me
lo hicisteis" (Mt 25:40). El segundo mandamiento es
similar al primero: amar a nuestro prójimo como a
nosotros mismos, es lo mismo que amar a Dios. El
Cristo que vemos en el otro es el reflejo del Cristo en
nosotros.

Esto, además, es el por qué tenemos el mandato de
Jesús, de que no juzguemos para que no seamos juzgados. Pues "con el juicio con que juzguéis seréis
juzgados, y con la medida con que midáis se os
medirá" (Mt 7:2). Cuando juzgamos a los demás, en
realidad nos juzgamos a nosotros mismos. Por medio

del mecanismo de la proyección inevitablemente le tememos al juicio de aquellos a quienes hemos condenado. Es únicamente al retirar este juicio que podemos comenzar a aceptar nuestro propio perdón. Al unir nuestras percepciones con las de Jesús podemos empezar a reconocer la verdad acerca de nosotros mismos y de los demás, lo cual permite que nuestro juicio esté "de acuerdo con lo que es correcto". Este juicio siempre se hace a base de la inocencia y no de la condenación.

Jesús nos dice:

> Pero yo os digo a los que me escucháis; amad a vuestros enemigos, haced bien a los que os odien, bendecid a los que os maldigan, bendecid a los que os difamen. Al que te hiera en una mejilla, preséntale también la otra (Lc 6:27-29).

Esto es así tanto por nuestro propio bien como por el bien de él. La sabiduría psicológica de esta posición es bien clara. Cuando podemos reconocer el Cristo en nuestros enemigos, estamos permitiendo que el Espíritu Santo nos quite la carga de juicio y culpa. El mismo Jesús promete esta recompensa a cambio de nuestro perdón de los demás cuando dice: "y vuestra recompensa será grande, y seréis hijos del Altísimo" (Lc 6:35). Nuestra indefensión nos enseña nuestra propia invulnerabilidad en Dios. Hemos invitado a otro a que se una con nosotros en la verdadera herencia de nuestro Padre: el Amor que Él nos ha dado libremente y que nos pide que le devolvamos por medio del perdón.

Las palabras de Jesús a los apóstoles: "A quienes les perdonéis los pecados, les quedarán perdonados; a quienes se los retengáis, les quedan retenidos" (Jn 20:23), pueden considerarse también desde este nivel psicológico. La culpa que dejamos de perdonar en otro permanece dentro de nosotros. Así ambos permanecemos aprisionados en el infierno psicológico de nuestras percepciones equivocadas, y el perdón se ha convertido en una meta inalcanzable. En ese caso, perdonar siete veces parecería una imposibilidad, por no decir nada de las setenta veces siete que Jesús nos pide que perdonemos.

Por otra parte, al responder al ataque de los demás con indefensión en vez de contra-ataque, damos testimonio de nuestra propia invulnerabilidad en Cristo. Les demostramos que su ataque no tiene efecto, de modo que ellos también son inocentes. Se les han perdonado los pecados que ellos no pudieron perdonar en sí mismos. Como dice el Curso, nuestra invulnerabilidad establece la inocencia de nuestros hermanos.

La oración: La unión en el nombre de Jesús

Aunque la vida de Jesús provee muchos ejemplos de la importancia de la oración, en los evangelios hay relativamente pocas referencias a la oración tal y como se define tradicionalmente. El énfasis mayor de Jesús estaba en la unión con los demás en amor y perdón, y esto, al parecer constituye su enseñanza principal acerca de la oración. Si la oración se considera como el ponernos ante la presencia de Dios, debemos estar dispuestos a deshacer las interferencias al amor antes de que podamos comunicarnos con El y de que alcancemos las alturas de la oración. Esta experiencia de comunión no puede enseñarse, puesto que la misma es nuestro estado natural una vez se hayan removido los obstáculos. Es el perdón el que nos enseña cómo al unirnos en amor el ego desaparece. En esta unión se deshace también la creencia en la separación. Al unirnos con otro sólo estamos uniéndonos con nuestro Ser, la vida de Cristo que todos somos llamados a compartir. Jesús nos dice de la oración:

> Os aseguro también que si dos de vosotros se ponen de acuerdo en la tierra para pedir algo, sea lo que fuere, lo conseguirán de mi Padre que está en los cielos. Porque donde están dos o tres

reunidos en mi nombre, allí estoy yo en medio de
ellos (Mt 18:19-20).

El unirse en su nombre es unirse para perdonar, pues
Jesús mismo es el símbolo del perdón total.

El Curso dice: "A quienes Dios ha unido como
uno, el ego no los puede desunir" (T-17.III.7:3). La
unidad de los unos con los otros ha sido establecida
por Dios, y si bien podemos elegir el *vernos* separados, no podemos elegir el *hacernos* separados. "El
Reino está perfectamente unido y perfectamente
protegido, y el ego no prevalecerá contra él"
(T-4.III.1:12). El Reino es nuestra unión de los unos
con los otros, pues el Reino es el Cristo en Quien nos
unimos. Es Jesús quien nos ha mostrado el camino,
quien nos conduce allí, y quien estará allí para recibir-
nos cuando lleguemos. Así, la oración por el perdón
se convierte en el medio de la oración de comunión,
que es el final de todas las ilusiones.

Cómo seguir el ejemplo de Jesús

El camino de la salvación no está libre de pruebas,
miedo y sufrimiento. Los evangelios son bastante
explícitos respecto a esto, y Jesús le hace bien claro a
sus seguidores lo que envuelve la vida como discípulo
suyo. Esta vida significa completa pobreza: la pobreza

de espíritu de la que habla Jesús en las Beatitudes y la cual implica liberarnos de todas nuestras aficiones en este mundo, y el completo abandono a la Voluntad de Dios. La inversión en cualquier cosa de este mundo es la negación de Dios, pues la verdad y las ilusiones no pueden morar juntas. Debemos ser como los "lirios del campo," al confiar en Dios para todo lo que necesitemos. Como exhorta Jesús a sus seguidores: "No toméis nada para el camino, ni bastón, ni alforja, ni pan, ni plata; ni tengáis dos túnicas cada uno" (Lc 9:3). Somos enviados como corderos entre lobos, con nada que nos proteja sino nuestra inocencia e invulnerabilidad, la cual no proviene de nosotros ni del mundo sino únicamente de Dios.

También hay que dar un paso más allá de meramente apartar nuestra inversión del mundo. Debemos dar el dinero a los pobres, y venir a Jesús y seguirlo. Debemos compartir con los demás los frutos de nuestro "vaciamiento del ego". Ellos son los pobres que desean ardientemente el amor de Dios, y es en nuestro compartir este amor con ellos que nos unimos en Su presencia. La condición natural del amor es abrazar a todas las personas como nuestro Padre nos abraza a nosotros. El proceso de ser discípulo de Jesús, de liberarse de la inversión en las cosas de este

mundo, debe ser total si la meta de alcanzar el Reino
ha de lograrse. Mientras una sola mancha de oscuridad permanezca dentro de nosotros, la luz de Cristo
será oscurecida y Jesús quiere que seamos los canales
puros de luz que él es. El le dice a sus discípulos:

> Mira, pues, que la luz que hay en ti no sea oscu-
> ridad. Si, pues, tu cuerpo está enteramente lumi-
> noso, no teniendo parte alguna oscura, estará tan
> enteramente luminoso, como cuando la lámpara
> te ilumina con su fulgor (Lc 11:35-36).

Dios no quiere que Su amor sea limitado de ninguna
manera, de modo que nuestro gozo en El sea
completo.

En palabras de San Pablo, debemos despojarnos
del hombre viejo y revestirnos del nuevo; debemos
vivir, no como "Yo", sino como Cristo vive en nosotros (Ga 2:20). Vemos esta enseñanza ejemplificada
en la imagen de los odres:

> Ni tampoco se echa vino nuevo en pellejos vie-
> jos; pues de otro modo, los pellejos revientan, el
> vino se derrama, y los pellejos se echan a per-
> der; sino que el vino nuevo se echa en pellejos
> nuevos, y así ambos se conservan (Mt 9:17).

Debemos reverdecernos y renovarnos, nacer otra vez
del espíritu, como le dice Jesús a Nicodemo

(Jn 3:5-6). Sólo entonces podemos, juntos con el mismo Jesús, entrar en el Reino de Dios.

El "tomar la cruz de Jesús" frecuentemente se identifica con una vida de sufrimiento. Para estar seguros, es imposible abandonar la inversión en todo lo que representa nuestra seguridad sin experimentar miedo, y donde hay miedo, el dolor y el sufrimiento no se pueden evitar. Jesús nos advierte respecto a esto, aun cuando nos estimula a que lo sigamos. Nuestros ídolos deben ser abandonados si es que hemos de encontrar a nuestro salvador, y debemos venir a él por el camino recto y estrecho. Es un camino por el cual vamos sin ilusiones.

Seguir a Jesús es nuestra más grande y única dicha, y si no tuviéramos miedo de soltar nuestros "gozos" previos, esto no envolvería dolor ni sufrimiento. Nuestras inversiones más secretas deben desaparecer. Jesús dijo: "Pues nada hay oculto si no es para que sea manifiesto; nada ha sucedido en secreto, sino para que venga a ser descubierto" (Mc 4:22). Es ese mismo proceso de traer la oscuridad de nuestra culpa y miedo a la luz lo que es atemorizante. Por lo tanto, debernos estar dispuestos a pasar por la ansiedad y el sufrimiento temporario de seguir a Jesús si hemos de alcanzar la paz y el gozo que es la

Voluntad de nuestro Padre para nosotros. Nuestra meta es la vida eterna que nos ofrece la resurrección de Jesús, no el dolor de dejar la prisión que hicimos para nosotros mismos. Debemos tener buen ánimo porque Jesús venció al mundo, y nos enseñó cómo vencerlo con él.

Las relaciones especiales y los evangelios

El soltar las inversiones en el mundo consiste de algo más que el deshacernos de las aficiones a cosas tales como posición, fama o posesiones materiales. Debe incluir nuestras relaciones también. En este mundo de miedo y culpa es particularmente difícil no comprometer a otros en relaciones especiales, y así usarlos como defensas en contra de Dios. Hay pocos lugares en los evangelios donde Jesús sea más categórico y aparentemente más severo que en sus planteamientos a los discípulos de que evitaran comprometerse falsamente con los demás. No hay relaciones especiales en el Reino. Toda la gente es amada de la misma manera, pues así es como Jesús nos ha amado. Jesús quiere estar en el centro de nuestras relaciones, y nos dice que cualquiera que hace la Voluntad de su Padre Que está en el Cielo se convierte en "mi hermano y hermana y madre" (Mt 12:50). Unicamente al tener la seguridad en Dios podemos, por medio de nuestras relaciones con los demás, verdaderamente traer el amor a aquellas determinadas personas que Jesús nos envía.

Las diferentes formas que tome este amor, debemos permitirle a él que las dirija. Esto está bien ilustrado en la relación de Jesús con sus seguidores. Si bien su amor por ellos permanecía igual, el nivel de intimidad y compromiso variaba grandemente, como puede verse en las diferencias en sus relaciones con Juan, Pedro y Santiago, los doce y los setenta y dos. Ni su respuesta a Marta era igual a la de María, aunque las amaba a ambas.

La "espada" que Jesús trae debe cortar la atadura de especialismo que aprisiona a las personas en el nombre del ego, reemplazándola con el amor que verdaderamente las une en el nombre de Cristo. El falso y efímero sentido de seguridad que resulta de las relaciones basadas en la dependencia no es la paz que Jesús quiere darnos. Más bien, debemos aprender a renunciar al falso yo que quiere que busquemos tales relaciones fuera de nosotros, y elegir en su lugar la única Relación que une a todas las demás en sí misma. Debemos apartarnos de todo lo que no es de Dios, de modo que podamos unirnos finalmente con nuestra verdadera realidad. Para ayudar a conducirnos del infierno de nuestras vidas centradas en el ego al Cielo de la vida en Dios, Jesús nos envía los unos a los otros, sus mensajeros, a traernos las nuevas de gran gozo. Pero a menos que él mismo permanezca en el centro de nuestras relaciones, su mensaje de perdón, gozo y felicidad se perderá en la culpa, el dolor y la miseria. En cada relación Jesús nos llama: "Venid a mí todos los que estáis fatigados y sobrecargados, y yo os daré descanso" (Mt 11:28).

Los discípulos de Jesús

Una vez los discípulos han elegido identificarse con la luz de Jesús, ya están listos para traer la luz a aquellos que caminan en la oscuridad. De hecho, esa es la función esencial y la misión de todos los seguidores de Jesús. En el Evangelio de Mateo, Jesús le dice a sus discípulos: "Vosotros sois la luz del mundo.... brille así vuestra luz delante de los hombres, para que vean vuestras buenas obras y glorifiquen a vuestro Padre que está en los Cielos" (Mt 5:14,16). Para ser consistentes, en este sentido debemos estar alerta al miedo que puede ser generado por un ego suficientemente poderoso aún. En palabras del mismo Jesús: "Vosotros sois la sal de la tierra. Mas si la sal se desvirtúa, ¿con qué se la salará? Ya no sirve para nada..." (Mt 5:13).

El amor que recibimos de Jesús, él nos pide ahora que se lo demos a todo aquel que él nos envíe. Como él nos ha amado así debemos amarnos los unos a los otros. Al ser enviados al mundo debemos aprender a no atemorizarnos, sino a confiar en el poder y en el amor de él, que nos ha enviado. En cualquier situación que pueda surgir, Jesús nos dice que no nos preocupemos por lo que tengamos que hacer o decir. Sólo tenemos que recordar que "no seréis vosotros los que hablaréis; sino el Espíritu de vuestro Padre el que hablará por vosotros" (Mt 10:20). Podemos recoger culebras o beber veneno mortal sin miedo (Mc l6:18). Cuando estamos totalmente centrados en Dios ningún daño puede acontecernos, ni podemos fracasar en cumplir cualquier misión que él haya elegido para nosotros. En el prólogo del Evangelio de Juan, se dice de Jesús que "a todos los que le recibieron les dio poder de hacerse Hijos de Dios" (Jn 1:12). Y porque él está siempre con nosotros se nos asegura este poder mientras confiemos en él. No se nos ha dejado sin consuelo, y se nos ha prometido que las obras que él hizo, y aún otras mayores, las podemos hacer con él.

Demostramos nuestra calidad de discípulos cuando ponemos en práctica la palabra de Dios que Jesús nos dejó: al amar a nuestro prójimo y al poner la fe en nuestro Padre. Cualquier cosa que pidamos en el nombre de Jesús la recibiremos, pues juntos con él reflejamos la única Voluntad de Dios. Esta unidad con Dios y con él es la oración final de Jesús por aquellos que lo siguen:

> Como tú Padre, en mí y yo en ti, que ellos también sean uno en nosotros, para que el mundo crea que tú me has enviado…Yo les he dado a conocer tu nombre y se los seguiré dando a conocer, para que el Amor con que tú me has amado esté en ellos y yo en ellos" (Jn 17:21,25).

Jesús como salvador personal

Fe en Jesús

La fe es una de las cualidades más importantes del alumnado la cual se recalca en cada uno de los evangelios. Repetidas veces Jesús afirma que la ayuda y la curación acaecieron gracias a la fe. En la Ultima Cena Jesús señala a Pedro y le dice: "Yo he rogado por ti, Simón, para que tu fe no desfallezca. Y tú, cuando hayas vuelto confirma a tus hermanos" (Lc 22:32). En el Evangelio de Juan, Jesús le dice a los doce: "No se turbe vuestro corazón. Creéis en Dios; creed también en mi" (Jn 14:1). Nuevamente, a los discípulos, preparándolos para las dificultades que iban a tener después de su muerte, Jesús les dice: "Os he dicho esto para que no os escandalicéis" (Jn 16:1). En toda nuestra adversidad sólo tenemos que recurrir a él y el miedo desaparecerá. Todas las cosas, nos dice Jesús, son posibles para aquellos que tienen fe. "Por eso os digo; todo cuanto pidáis en la oración, creed que ya lo habéis recibido y lo obtendréis" (Mc 11:24). El mismo Jesús provee un ejemplo de su fe cuando, antes de resucitar a Lázaro de entre los muertos, le dió gracias a su Padre por hacer este milagro a través de él.

No podemos seguir a Jesús sin esta fe. Las presiones del mundo son muy grandes y el poder de nuestro miedo y nuestra culpa es muy abrumador. Sin la conciencia de la fortaleza que Jesús nos da no estaríamos preparados para continuar. En él ya se ha logrado nuestra salvación, pues todos nuestros errores han sido deshechos y sólo esperan que aceptemos su curación. El es "el Camino, la Verdad, y la Vida" (Jn 14:6) y al tomar su mano somos dirigidos hacia nuestra única realidad con él. Presentarnos ante el mundo y decir: "Este es mi hermano Jesús," es reconocer nuestra unidad con él y en Dios.

Se nos ha dicho que la fe es un regalo de Dios. Mas, ¿cómo podría ser posible que los regalos de Dios le fueran negados a cualquiera de los hijos que El ama? El regalo de Dios que es Jesús, en quien se encuentran todos los demás, ya se nos ha dado. El sólo espera que lo aceptemos en nuestras vidas. En los evangelios, Jesús nos pide que no nos avergoncemos de él, pues entonces no puede ayudarnos (Lc 9:26). Nuestra falta de fe en él proviene de nuestro miedo y vergüenza, no de la negativa del Cielo. Jesús está a la puerta y llama, esperando nuestra invitación a que entre y more con nosotros. El hablar de nuestra indignidad para tener un huésped así, sentirnos avergonzados de confesar nuestro amor y necesidad de él, experimentar miedo de lo que su presencia podría significar: todas éstas no son sino reacciones del ego que reflejan nuestro deseo secreto de permanecer separados de la única Fuente de vida y gozo que este mundo contiene.

Negar a Jesús, es negarnos a nosotros mismos y negar nuestra verdadera Identidad en Dios. El sólo nos pide que aceptemos su amor, no por su bien sino por el nuestro. En él encontramos la respuesta de Dios a nuestra oración para la vida en un mundo de muerte. A través de nuestro amor por Jesús, el mundo brilla con una luz tan radiante que no podemos evitar el apresurarnos a unirnos con ésta. Regocijados en Jesús, nuestro hermano, llamamos a todos los hombres hermanos, amándolos como lo amamos a él y como él nos ama a nosotros. Nos ha dicho que él es la vid y que nosotros somos sus ramas. Separados de él no podemos literalmente hacer nada sino marchitarnos en la prisión de nuestro miedo; pero unidos con él, su fortaleza se hace nuestra, y los frutos de nuestras vidas se convierten en los frutos de su Reino. Jesús nos llama a que aceptemos su ayuda. ¡Qué paz para nosotros cuando al fin buscamos la mano que nunca ha cesado de buscar la nuestra! Imaginen el gozo en el Cielo cuando nuestras manos se unen, pues en ese instante se ha renovado la resurrección y el mundo de miedo y de muerte se ha trascendido una vez más. En ese preciso instante el Amor de Dios es liberado para que El abrace a Sus hijos atrayendo a cada uno de nosotros hacia Su corazón y hacia la unidad de Su Creación.

Jesús como el modelo de los maestros de Dios

Jesús es el modelo de los maestros de Dios tal y como los describe el Curso. Consistente en su enseñanza como en su ejemplo personal, él nos pide que aquí, también, seamos como él. ¿Qué otra cosa sino su semejanza querríamos ser? El Curso enumera diez características que son necesarias en aquellos que aspiran a convertirse en maestros de Dios (M-4.I-X). Estas características son perfectamente representadas por Jesús. Incluyen confianza, generosidad, indefensión, paciencia, honestidad, tolerancia, apertura mental, júbilo, mansedumbre y fe.

Todas las otras características descansan sobre la primera, confianza, porque únicamente al confiar en Dios pueden Sus maestros tener confianza en el mundo. Ellos saben que éste está gobernado por un Poder que no es *de* este mundo, aunque *está* en él. Al haber trascendido el miedo ellos no tienen necesidad de proyectarlo sobre los demás, y pueden por lo tanto unirse con ellos en generosidad y perdón. Pueden permitirse el permanecer indefensos, y el ser pacientes en el conocimiento de que la Voluntad de Dios se ha hecho. Son honestos porque sus pensamientos provienen de Dios, de modo que no puede haber conflicto entre éstos. No condenan a nada ni a nadie. Y son tolerantes y de mente abierta porque le dejan el juicio a Dios. Conscientes de que caminan con El, haciendo Su trabajo, siempre están jubilosos. Siempre son mansos porque saben que su fortaleza es la fortaleza de Cristo, y no la propia. Su fe les enseña que la voluntad de ellos y la de su Padre son la misma, y que no hay problemas que no puedan traerse a la Respuesta de Dios y resolverse allí.

En un mundo que se ha olvidado de él, Jesús nos necesita para que seamos sus mensajeros. A los ojos cansados que se han fatigado de tanta oscuridad, él nos pide que le traigamos su luz, ofreciéndoles una visión de paz, de gozo y de felicidad en lugar de los dolores y las angustias del mundo del miedo. Nos pide que le permitamos hacerse visible en nosotros atrayendo a los demás hacia sí mismo tal como nos atrae a nosotros hacia Dios. Nos dice en el Curso en un pasaje particularmente conmovedor:

> Pues esto es lo único que necesito: que oigas mis palabras y que se las ofrezcas al mundo. Tú eres mi voz, mis ojos, mis pies y mis manos, con las cuales llevo la salvación al mundo (L-pI.rV. 9:2-3).

Para convertirse en maestro de Dios sólo necesitamos estar dispuestos a escuchar Su Voz, el Espíritu Santo, y ninguna otra. Nuestra única responsabilidad es permitir que el miedo y la culpa sean deshechos en nosotros, de modo que esta Voz sea clara en nuestro interior. La luz del Cielo permanece detrás del velo de inexorabilidad que hemos puesto entre nosotros: una sombra que espera por el perdón que la remueva al fin. La luz de Dios se libera entonces para que brille a través de los corazones de aquellos que quieren recordarlo, extendiéndose desde ellos hacia el mundo. Para aquellos que quieren enseñar con Jesús, qué esperanza podría estar más cerca de sus corazones que la oración del Cardenal Newman: "Permite que al mirarme no me vean a mí, sino únicamente a Jesús".

EPÍLOGO

Algunos pensamientos adicionales acerca de Jesús: El camino, la verdad y la vida

El Nuevo Testamento y la tradición cristiana subsiguiente, a pesar de sus significativas distorsiones y narraciones mitológicas de la vida y el mensaje de Jesús (que mencioné en el Prefacio), mantuvieron viva la figura de Jesús en la conciencia del mundo durante dos mil años. Este no es un logro pequeño. Y así, sin la larga tradición cristiana, que desde la perspectiva de *Un curso de milagros* ha reflejado una teología equivocada y al revés, jamás hubiera habido la necesidad de la corrección que hace el Curso a estos errores. En este contexto, uno podría comprensiblemente hacerse eco del espíritu de la famosa exclamación en la liturgia de la Vigilia Pascual: "¡Oh feliz error que ameritó a tan gran Redentor!"; es decir, que sin la "Caída" de Adán y Eva jamás hubiéramos conocido a Jesús. Ciertamente, no estoy sugiriendo que la glorificación del ego que se llevó a cabo bajo el nombre de cristianismo se haya justificado en forma alguna con la llegada del Curso ni que la influencia negativa de la Iglesia sea repentinamente minimizada por éste. Sin embargo, este contexto cristiano al menos nos ayuda a ver el lugar de importancia que ocupa *Un curso de milagros* en la historia de la espiritualidad, dentro de la cual lo menos importante no es la clarificación de Jesús y su mensaje.

Un curso de milagros nos enseña que vivimos en un mundo de símbolos. De hecho, toda nuestra experiencia física y psicológica aquí consiste de símbolos. Hecho por el ego en su intento de sustituir a Dios, el mundo simboliza el odio; perdonado por la misma mente que originalmente se decidió a favor del ego, el mundo puede llegar a simbolizar el Amor de Dios que hemos negado en nuestra rebelión y que pensamos que jamás volveríamos a conocer. Finalmente, Jesús es el gran símbolo del Amor de Dios en el mundo occidental, y a pesar de los intentos del mundo de negarlo una y otra vez, su luz jamás ha cesado de brillar en la conciencia de occidente. Por siempre fiel, aún en la oscuridad de nuestra culpa, el resplandor amoroso de Jesús nos llama a que cambiemos de pensamiento, despertemos de nuestros sueños triviales de odio y muerte, y regresemos a casa al fin. Para casi todos nosotros, por lo tanto, Jesús es el camino, la verdad, y la vida: siguiendo su *camino* de perdón, recordamos la *verdad* de su resurrección a medida que regresamos a la *vida* unificada de amor que él ejemplificó. Esta vida es la Identidad de Cristo que compartimos con toda la creación, el Ser que ha permanecido unido con Su Fuente.

Para redondear la discusión acerca de Jesús que se presenta en este libro, quisiera añadir algunos comentarios acerca de tres temas importantes e interrelacionados: 1) La Resurrección; 2) El Seguir a Jesús y 3) Jesús como La Encarnación del Principio de la Expiación.

La Resurrección

La visión tradicional de la resurrección, la cual se basa en las narraciones bíblicas, es que Jesús resucitó en el cuerpo. Por lo tanto, la resurrección fue un acto que inevitablemente ocurrió *después* de la crucifixión. Esta creencia fue una piedra angular de la temprana enseñanza ortodoxa del cristianismo, y vemos a San Pablo argumentando a su favor en las cartas a los corintios entre los primeros escritos del Nuevo Testamento. Dado el valor prominente que se le adjudicó al cuerpo físico en la tradición judío-cristiana—después de todo la Biblia afirma que Dios lo creó—este énfasis en la resurrección física tiene perfecto sentido. Si Dios creó el cuerpo, y nada menos que a Su imagen, éste tiene que ser santo. Por lo tanto, en la teología cristiana, la expiación del pecado corporal (identificado con la sexualidad desde la época del San Agustín del siglo quinto), se logró a través de la muerte sacrificatoria de Jesús, la cual recompensó a Dios por el pecado de Adán y Eva. Este pecado, que se creía que estaba localizado en el cuerpo, corrompió su pureza original y aparentemente contaminó a toda la gente por igual. Así que el pecado, de acuerdo con esta creencia, sólo podía ser lavado en un acto de salvación universal que destruyera el cuerpo y luego lo devolviera a la vida. En este punto, así lo enseñó la teología cristiana, la marca del pecado original era removida de todos los creyentes y el cuerpo era liberado una vez más para que fuera la vasija sagrada del acto creativo de Dios, "el templo del Espíritu Santo" de San Pablo (1 Co 6:19). Varios rituales, tales como el bautismo, son reflejos subsidiarios de esta misma limpieza.

Así podemos empezar a apreciar la gran importancia otorgada por los cristianos a la resurrección *física* real de Jesús, que culminó con su ascensión al Cielo *como un cuerpo resucitado*. Aquellos que lo siguen compartirían este ser corpóreo trascendente, y se convertirían—según las palabras de San Pablo—

en el "hombre nuevo": "Y vivo, no ya yo, más vive Cristo en mí" (Ga 2:20).

Sin embargo, esta visión de la resurrección no tiene sentido cuando consideramos las enseñanzas metafísicas de *Un curso de milagros*. La resurrección del cuerpo refleja directamente la creencia de que el cuerpo ha muerto lo cual a la vez descansa en la suposición de que el cuerpo ha vivido. Si el cuerpo es inherentemente una ilusión, no puede ni vivir *ni* morir ("Fuera del Cielo no hay vida" [T-23.II.19:1]), y por lo tanto la resurrección del cuerpo no tiene ningún sentido. Más bien, Jesús nos enseña en el Curso que la resurrección significa el despertar del sueño de la muerte (M-28.1:1-2), un despertar que sólo puede ocurrir en la mente, ya que el cuerpo es nada más que la proyección de un pensamiento en la mente. Dadas las reacciones perfectamente no egoicas de Jesús al final de su vida (vea T-6.I), sería prudente concluir que su resurrección *precedió* a la crucifixión. Es esa sanación de la *mente*, por lo tanto, la que él nos pide que tomemos como nuestro modelo de aprendizaje (T-6.in.2:1; T-6.I.3:6; 7:2), y el perdón es su gran mensaje de enseñanza el cual efectúa el cambio mental que es lo único que puede sanar.

El seguir a Jesús

En *Un curso de milagros*, como se ha citado arriba, Jesús nos pide que lo tomemos como modelo de aprendizaje. Sin embargo, esto no debe entenderse a nivel de conducta o de forma. El nos hace esto muy claro cuando afirma categóricamente que no necesitamos emular su crucifixión, pues esa fue la forma que tomó *su* lección:

> No se te pide que repitas mis experiencias, pues el Espíritu Santo, a Quien compartimos, hace que eso sea innecesario. Para valerte de mis experiencias de manera constructiva, no obstante, tienes aún que seguir mi ejemplo con respecto a cómo percibirlas (T-6.I.11:2-3).

Por lo tanto, *no* se nos pide que tomemos como modelo lo que el cristianismo nos enseñó que era el sufrimiento sacrificatorio de la muerte de Jesús. El hace esto enfáticamente claro en el siguiente pasaje:

> El viaje a la cruz debería ser el último "viaje inútil". No sigas pensando en él, sino dalo por terminado. ...No cometas el patético error de "aferrarte a la vieja y rugosa cruz". El único mensaje de la crucifixión es que puedes superar la cruz. Hasta que no la superes eres libre de seguir crucificándote tan a menudo como quieras.

Este no es el Evangelio que quise ofrecerte (T-4.in. 3:1-2,7-10).

En su lugar, como hemos visto, Jesús nos pide que emulemos su estado *mental* lo cual significa dejar a un lado nuestros egos y escoger únicamente al Espíritu Santo. De esta manera él nos exhorta en el Curso:

> El Espíritu Santo se encuentra en tu mente recta, tal como se encontraba en la mía. La *Biblia* [Fil 2:5] dice: "Que more en ti la mente que estaba en Cristo Jesús", y lo utiliza como una bendición. Se trata de la bendición de la mentalidad milagrosa. Te pide que pienses tal como yo pensé, uniéndote de esta manera a mí en el modo de pensar de Cristo (T-5.I.3:3-6).

Los primeros cristianos, sin embargo, sus mentes llenas con los pensamientos opresores de sacrificio y castigo, proyectaron los contenidos de sus mentes sobre Jesús. Y así él terminó convirtiéndose en el modelo de sufrimiento y sacrificio que conduce a la muerte del cuerpo y a la resurrección ilusoria. Pero lo que realmente murió en la cruz de la Iglesia fue el verdadero significado del perdón y de la invulnerabilidad que abrirían la puerta de la resurrección, despertando la consciencia del mundo a la vida eterna de Cristo que reside en cada uno de nosotros.

El seguir a Jesús, por lo tanto, significa seguir a aquel que le enseñó al mundo cómo amar en presencia del odio, y a permanecer en paz en medio de un ambiente de guerra. Esto no significa el sacrificio de nuestros placeres terrenales ni el sufrimiento en nuestro camino hacia el Cielo. Más bien, Jesús le enseña al mundo que en todos y cada uno de los momentos en que seamos tentados a pensar que somos las víctimas inocentes de los demás, podemos pensar en él y recordar sus lecciones de perdón. Parafraseando la lección treinta y cuatro (34) del libro de ejercicios, podemos por lo tanto decir en estos instantes dolorosos: yo podría pensar en Jesús en vez de pensar en esto; yo podría pensar en el perdón en vez de pensar en la victimación.

Al tendernos su mano ahora, Jesús nos pide que nos unamos a él en la senda que deja atrás la teología del pecado, la culpa y el castigo. El Dios de Jesús no es el Dios de este mundo, ni el Dios bíblico que ejemplifica el especialismo que demanda que Sus hijos le paguen por los pecados que jamás cometieron en contra de El. Más bien, este hombre de amor nos enseñó el verdadero significado de la Expiación: nosotros jamás abandonamos la casa de nuestro Padre amoroso quien de igual forma jamás nos abandonó a nosotros.

Así despertamos del sueño de separación y muerte y recordamos que somos uno con nuestra Fuente.

Jesús como la encarnación del principio de la Expiación

Por más de dos mil quinientos (2,500) años, los judíos y luego los cristianos han celebrado días y estaciones especiales en los cuales la "palabra sagrada" de Dios demandaba sufrimiento y sacrificio como expiación por los pecados. Así el pecado fue emblasonado en las almas de los hijos de Dios, para ser deshecho *únicamente* a través de la satisfacción de la necesidad sanguinaria e interminable de retribución del Dios bíblico ya mencionado. El error básico en esta teología, desde la perspectiva de *Un curso de milagros*, es que el pecado se ha hecho real, y Dios, impotente para evitarlo, es reducido a ser un participante en el mundo loco de venganza y asesinato del ego. Si el pecado fuera real, argumenta el Curso,

> Y así, la Voluntad de Dios estaría dividida en dos, y toda la creación sujeta a las leyes de dos poderes contrarios, hasta que Dios llegase al límite de Su paciencia, dividiese el mundo en dos y se pusiese a Sí Mismo a cargo del ataque. De este modo El Habría perdido el Juicio, al proclamar

que el pecado ha usurpado Su realidad y ha hecho que Su Amor se rinda finalmente a los pies de la venganza (T-26.VII.7:4-5).

En este sueño loco, por lo tanto, el pecado del Hijo realmente ha logrado lo imposible: la unidad de Dios y Cristo ha sido destruida para siempre por la mano asesina del ego, y el amor se ha metamorfoseado en su oponente.

Un curso de milagros nos ayuda a entender que cuando pareció que nos quedamos dormidos y el sueño demente de separación del ego comenzó, nos llevamos con nosotros en nuestros sueños la memoria de Quiénes somos verdaderamente como Hijos del Amor de Dios. Esa memoria es el Espíritu Santo, que permanece con nosotros como recuerdo constante de lo que olvidamos, y que podemos aceptar en cualquier momento que lo decidamos. Por medio de esta memoria, permanecemos unidos para siempre con nuestro Creador y Fuente, tal y como por medio de nuestras memorias personales, permanecemos unidos con nuestros seres amados que han muerto. Este puente, como lo llama el Curso, une nuestras mentes para siempre con la Mente de Dios, y contradice la afirmación del ego de que estamos separados para siempre. La presencia del Espíritu Santo como el puente hacia el Cielo refleja así lo que el Curso llama el principio de la Expiación: la separación jamás ocurrió verdaderamente. La aceptación de esta verdad nos la presenta el Curso como nuestra única responsabilidad en este mundo (T-2.V.5:1).

Por siempre presente en nuestras mentes como un concepto abstracto, la Expiación necesitaba una forma específica con la cual pudiéramos relacionarnos, y que nos recordara su presencia en nuestras mentes. Jesús, como se discutió arriba, es esa forma para la mayoría del mundo occidental. Como la más grande encarnación del Amor de Dios que el mundo occidental haya conocido, Jesús protagonizó para nosotros el asesinato aparente de Dios por el ego. Por medio de su total indefensión (descrita en el capítulo tres) y de su presencia constante en nuestras mentes (el testigo de la resurrección), Jesús nos demostró la verdad y en efecto, contrario a todas las apariencias, a él no le ocurrió nada en la cruz. Empleando la metáfora de la música, el Curso plantea la incapacidad de la separación para afectar la unidad de Dios y Cristo: "no se perdió ni una sola nota del himno celestial" (T-26.V.5:4). El amor de Jesús por nosotros permaneció igual: antes, durante y después de la crucifixión. Lo mismo que con nuestra Fuente amorosa, el aparente pecado de los hijos del ego no tuvo efecto sobre el Amor de Dios, manifiesto ahora en el cuerpo. Al vivir para nosotros el principio de la Expiación, Jesús llama a cada uno a que demuestre ese mismo amor indefenso cuando seamos tentados a acusar a otro de pecar. Pues del mismo modo que él encarnó la verdad de la presencia del Espíritu Santo en la mente de la Filiación, así mismo cada persona es instada por él a que haga lo mismo:

> El Amor de Dios rodea a Su Hijo, a quien el dios de la crucifixión condena. No enseñes que mi muerte fue en vano. Enseña, más bien, que no morí, demostrando que vivo en ti. Pues poner fin a la crucifixión del Hijo de Dios es la tarea de la redención, en la cual todo el mundo juega un papel igualmente importante (T-11.VI.7:2-5).

Al demostrar que no es necesaria ninguna expiación del pecado—en realidad el amor no ha sido atacado—Jesús abrió el camino para que todos nosotros aceptemos *su* aceptación de la Expiación. Tomamos su mano que tan pacientemente espera la nuestra, y caminamos a través del mundo ilusorio de pecado y muerte hacia el brillante nuevo mundo lavado por el perdón. Juntos con nuestro hermano mayor proseguimos hacia el portal del Cielo, donde nuestro Creador Mismo recibe a Los Suyos, y donde reunidos como Su Hijo Unico, desaparecemos al fin en el Corazón de Dios (L-pII.14.5:5).

APÉNDICE

ABREVIATURAS DE LAS REFERENCIAS BIBLICAS

(En orden Bíblico)

Mt	Mateo
Mc	Marcos
Lc	Lucas
Jn	Juan
Rm	Romanos
1 Co	Corintios
Ga	Gálatas
Fil	Filipenses
Col	Colosenses
I Jn	1 Juan
Rv	Revelación

Glosario

Este pequeño Glosario se presenta para facilitarle al lector la comprensión de vocablos específicos con usos exclusivos en *Un curso de milagros*. Las explicaciones se han tomado del *Índice-Glosario para Un curso de milagros* de Kenneth Wapnick.

---

abundancia - El principio del Cielo que contrasta con la creencia del ego en la escasez; al Hijo de Dios jamás puede faltarle nada o tener necesidades, puesto que los regalos de Dios, otorgados eternamente en la creación, siempre están con el.

amor - *Conocimiento*: la esencia del ser de Dios y de la relación con Su creación, que es inmutable y eterna; está más allá de toda definición y enseñanza, y sólo puede experimentarse o conocerse una vez las barreras de la culpa se han eliminado por medio del perdón.
percepción verdadera: es imposible en el mundo ilusorio de la percepción, pero puede expresarse aquí a través del perdón; es la emoción que nos dio Dios, en contraste con la emoción de miedo del ego, y se manifiesta en cualquier expresión de verdadera unión con otro.

ataque - El intento de justificar la proyección de la culpa sobre los demás, para demostrar su carácter pecaminoso y su culpa de manera tal que nosotros podamos sentirnos libres de ésta; debido a que el ataque es siempre una

proyección de nuestra responsabilidad por la separación, jamás se justifica; también se utiliza para deno-
tar el pensamiento de habernos separado de Dios, por
lo cual creemos que Dios a su vez nos atacará y nos
castigará.

(Nota—"ataque" e "ira" se utilizan como virtuales
sinónimos).

causa/efecto - Causa y efecto son mutuamente dependien-
tes, puesto que la existencia de uno determina la existencia del otro; además, si algo no es causa no puede
existir, ya que todo ser tiene efectos.

conocimiento: Dios es la única **Causa**, y su Hijo es Su
Efecto.

percepción: El pensamiento de separación—el
pecado—es la *causa* del sueño de sufrimiento y
muerte, que es el *efecto* del pecado; el perdón deshace
el pecado al demostrar que el pecado no tiene efecto;
i.e., la paz de Dios y nuestra amorosa relación con El
no se afecta en lo absoluto con lo que los demás nos
han hecho; por lo tanto, al no tener efectos, el pecado
no puede ser causa por lo cual no puede existir.

Cielo - El mundo no-dualista del conocimiento, donde
moran Dios y Su creación en la perfecta unidad de Su
Voluntad y espíritu; aunque excluyente del mundo de la
percepción, el Cielo puede reflejarse aquí en la relación
santa y el mundo real.

conocimiento - El Cielo, o el mundo de Dios y de Su creación unificada que existía antes de la separación en el

cual no hay diferencias o formas, por lo cual excluye al mundo de la percepción; no debe confundirse con el uso común de "conocimiento," que implica el dualismo de un sujeto que *conoce* y un objeto que es *conocido*; en el Curso refleja la experiencia pura de no-dualidad, en la cual no existe la dicotomía sujeto-objeto.

creación - La extensión del ser o espíritu de Dios, la Causa, que resultó en Su Hijo, el Efecto; se describe como la Primera Venida (el primer Advenimiento) de Cristo; la función del Hijo en el Cielo es crear, tal como fue la de Dios al crearlo a El.

(Nota - existe únicamente en el nivel del conocimiento, y no es equivalente a la "creación" o "creatividad" tal como se utilizan estos términos en el mundo de la percepción).

Cristo - La Segunda Persona de la Trinidad; el único Hijo de Dios o la totalidad de la Filiación; el Ser que Dios creó por medio de la extensión de Su espíritu; aunque Cristo crea tal como lo hace Su Padre, El no es el Padre puesto que Dios creó a Cristo, pero Cristo no creó a Dios.

(Nota—no debe equipararse exclusivamente con Jesús).

crucifixión - Un símbolo del ataque del ego en contra de Dios y por consiguiente en contra del Hijo de Dios, lo cual da testimonio de la "realidad" del sufrimiento, el sacrificio, la victimación y la muerte que el mundo parece manifestar; también se refiere al asesinato de

Jesús, un ejemplo extremo que nos enseñó que nuestra verdadera Identidad de amor jamás puede ser destruida, puesto que la muerte no tiene poder sobre la vida.

cuerpo - NIVEL I: La encarnación del ego; el pensamiento de separación proyectado por la mente y convertido en forma; el testigo de la aparente realidad de la separación ya que es una limitación para el amor, y lo excluye de nuestra consciencia; incluye nuestros cuerpos físicos así como nuestras personalidades.

NIVEL II: Es inherentemente neutral, ni "bueno" ni "malo"; su propósito se lo da la mente.

Mente errada: el símbolo de la culpa y del ataque.

Mente correcta: el medio para aprender y enseñar el perdón, a través del cual se deshace la culpa; el instrumento de salvación mediante el cual el Espíritu Santo nos habla.

culpa - El sentimiento que se experimenta en relación con el pecado; su reflejo desde nuestras mentes se ve en todos los sentimientos negativos y las creencias que tenemos acerca de nosotros mismos, en su mayoría inconscientes; la culpa descansa sobre un sentido de indignidad inherente, aparentemente aun más allá del poder perdonador de Dios, Quien erróneamente creemos que exige castigo por nuestro aparente pecado de separación contra El; al seguir el consejo del ego de que mirar la culpa nos destruirá, negamos la presencia de ésta en nuestras mentes, y luego la proyectamos en forma de ataque, bien sea sobre los demás en forma de ira o sobre nuestros cuerpos en forma de enfermedad.

dar/recibir - *Mente errada*: si uno da tiene menos, lo que refuerza la creencia del ego en la escasez y sacrificio, y ejemplariza su principio de "dar para obtener"; al creer que puede dar sus regalos de culpa y miedo, la versión del ego de dar es realmente proyección.

Mente correcta: dar y recibir es lo mismo, lo cual refleja el principio de abundancia del Cielo y la ley de extensión; el espíritu nunca puede perder, puesto que cuando uno da amor, recibe amor; los regalos del espíritu son cualitativos no cuantitativos, y por consiguiente aumentan en la medida que se comparten; el mismo principio funciona a nivel de ego, porque en la medida que damos culpa (proyección) así la recibimos.

Ver: regalos

defensas - *Mente errada*: los medios que utilizamos para "protegernos" de nuestra culpa, miedo y ataques aparentes de otros, las defensas más importantes son la negación y la proyección; por su naturaleza misma las defensas hacen lo que quieren defender, puesto que refuerzan la creencia en nuestra propia vulnerabilidad la cual sencillamente aumenta nuestro miedo y la creencia de que necesitamos defensas.

Mente correcta: las defensas se reinterpretan como los medios para liberarnos del miedo; ej. la negación niega "la negación de la verdad," y proyectar nuestra culpa se convierte en el medio para perdonarla.

demonio - Una proyección del ego, que intenta negar la responsabilidad de nuestro pecado y culpa proyectándolos hacia un agente externo.

Dios - La Primera Persona de la Trinidad; el Creador, la Fuente de todo ser o de toda vida; el Padre, Cuya Paternidad se establece por la existencia de Su Hijo, Cristo; la Primera Causa, Cuyo Hijo es Su Efecto; la esencia de Dios es espíritu, el cual se comparte con toda la creación, cuya unidad es el estado de Cielo.

ego - A creencia en la realidad del yo (ser) separado o falso, el cual se hizo como substituto del Ser que Dios creó; el pensamiento de separación que hace que surjan el pecado, la culpa y el miedo, y un sistema de pensamiento basado en el especialismo para protegerse a sí mismo; la parte de la mente que cree estar separada de la Mente de Cristo; esta mente dividida tiene dos partes: mente errada y mente correcta; casi siempre el ego se utiliza para designar la "mente errada," pero puede incluir la parte de la mente dividida que puede aprender a escoger la mente correcta.

(Nota—no debe equipararse con el "ego" del psicoanálisis, pero se puede equiparar, más o menos, con la psiquis entera, de la cual el "ego" psicoanalítico forma parte).

enfermedad - Un conflicto en la mente (culpa) que se desplaza hacia el cuerpo; el intento del ego de defenderse en contra de la verdad (espíritu) al concentrar la atención en el cuerpo; un cuerpo enfermo es el *efecto* de la mente enferma o dividida que es la *causa*, y que representa el deseo del ego de hacer culpables a otros a través del sacrificio de sí mismo, y de la proyección de la responsabilidad del ataque sobre ellos.

espíritu - La naturaleza de nuestra verdadera realidad la cual, al ser de Dios, es inmutable y eterna; se contrasta con el cuerpo, la encarnación del ego, el cual cambia y muere; el Pensamiento en la Mente de Dios que es el Cristo unificado.

Espíritu Santo - La Tercera Persona de la Trinidad Quien se describe metafóricamente en el Curso como la Respuesta de Dios a la separación; el Vínculo de Comunicación (Eslabón) entre Dios y Sus Hijos separados, y que salva la brecha entre la Mente de Cristo y nuestra mente dividida; la memoria de Dios y Su Hijo que trajimos con nosotros al sueño; Aquel Que ve nuestras ilusiones (percepción), y nos conduce a través de ellas hacia la verdad (conocimiento); la Voz por Dios Que habla por El y por nuestro Ser real, recordándonos la Identidad que olvidamos; también se conoce como el Puente, Consolador, Guía, Mediador (Intercesor), Maestro y Traductor.

Expiación - El plan de corrección del Espíritu Santo para deshacer el ego y sanar la creencia en la separación; se puso en efecto después de la separación, y se completará cuando cada Hijo separado haya cumplido su parte en la Expiación por medio del perdón total; su principio es que la separación jamás ocurrió.

extensión - *Conocimiento*: el proceso activo de la creación, en el cual el espíritu fluye de sí mismo: Dios crea a Cristo; puesto que el Cielo está más allá del tiempo y del espacio, la "extensión" no puede entenderse como un proceso espacial o temporal.

Percepción: extender la visión del Espíritu Santo o de Cristo en la forma de perdón o de paz; el uso que le da el Espíritu Santo a la ley de la mente, en contraste con la proyección del ego; puesto que las ideas no abandonan su fuente, lo que se extiende permanece en la mente, desde donde se refleja hacia el mundo de ilusión.

fe - La expresión de aquello donde escogemos depositar nuestras confianza; somos libres de tener fe en el ego o en el Espíritu Santo, en la ilusión del pecado en otros o en la verdad de su santidad como Hijos de Dios.

hacer/crear - El espíritu crea, mientras que el ego hace.

Conocimiento: la creación sólo ocurre dentro del mundo del conocimiento, verdad creadora.

Percepción: hacer, conocido también como mal-crear, sólo conduce a ilusiones; raramente se aplica al Espíritu Santo, a Quien se describe como el Hacedor (Artífice) del mundo real.

Hijo de Dios - *Conocimiento*: la Segunda Persona de la Trinidad; el Cristo Que es nuestro verdadero Ser.

Percepción: nuestra identidad como Hijos separados, o el Hijo de Dios como ego con una mente errada y correcta; la frase bíblica "hijo del hombre" rara vez se usa para designar al Hijo como separado.

infierno - El cuadro ilusorio del ego de un mundo más allá de la muerte el cual quiere castigarnos por nuestros pecados; el infierno es, pues, la culpa del pasado proyectada al futuro, pasando por alto el presente; también se usa para designar el sistema de pensamiento del ego.

instante santo - El intervalo fuera del tiempo en el cual escogemos el perdón en vez de la culpa, el milagro en vez del agravio, el Espíritu Santo en vez del ego; la expresión de nuestra pequeña disposición (pequeña dosis de buena voluntad) de vivir en el presente, el cual se abre hacia la eternidad, en vez de aferrarnos al pasado y temerle al futuro, que nos mantiene en el infierno; también se utiliza para señalar el instante santo final, el mundo real, la culminación de todos los instantes santos que hemos escogido a lo largo del camino.

Jesús - La fuente del Curso, su primera persona o "Yo"; el primero que completó su parte en la Expiación, lo cual lo capacitó para que se hiciera cargo de todo el plan; al trascender su ego, Jesús se ha identificado con Cristo y ahora puede servir como nuestro modelo para aprender y ser la ayuda siempre presente cuando lo invocamos en nuestro deseo de perdonar.

(Nota—no debe identificarse exclusivamente como Cristo, la Segunda Persona de la Trinidad).

Juicio Final - *conocimiento:* se contrasta con el punto de vista cristiano tradicional sobre el juicio y el castigo para reflejar la amorosa relación de Dios con *todos* Sus Hijos: Su Juicio Final.

percepción verdadera: se contrasta con el punto de vista cristiano tradicional del juicio y del castigo, y se equipara con el fin de la Expiación cuando, después de la Segunda Venida (Segundo Advenimiento), se hace la última distinción entre la verdad y la ilusión, se deshace toda la culpa, y se nos devuelve nuestra consciencia como Cristo—el Hijo del Dios vivo.

libre albedrío - Existe únicamente en el mundo ilusorio de la percepción, donde parece que el Hijo de Dios tiene el poder de separarse de Dios; puesto que en el nivel perceptual escogimos estar separados, también podemos escoger cambiar de idea; esta libertad de elección—entre mentalidad errada y mentalidad correcta—es la única libertad posible en este mundo; en el estado no-dualista de perfecta Unidad del Cielo, no puede existir el escoger, y por lo tanto el libre albedrío, tal como lo entendemos generalmente, en realidad no tiene significado alguno.

libre albedrío—A - Un aspecto de nuestro libre albedrío dentro de la ilusión: somos libres para creer qué es la realidad, pero puesto que la realidad fue creada por Dios, no somos libres para cambiarla en forma alguna; nuestros pensamientos no afectan la realidad, pero sí afectan lo que creemos y experimentamos como realidad.

maestro de Dios - En el instante en que decidimos unirnos con otro, una decisión de unirnos a la Expiación, nos convertimos en maestros de Dios; al enseñar la lección de perdón del Espíritu Santo, la aprendemos para nosotros mismos, y reconocemos que nuestro Maestro es el

Espíritu Santo Quien enseña a través de nosotros por medio de nuestro ejemplo de perdón y de paz; también se le conoce como "obrador de milagros," "mensajero" y "ministro de Dios"; se usa como sinónimo para los estudiantes de *Un curso de milagros.*

magia - El intento de resolver un problema donde no está, i.e., tratar de resolver un problema de la mente por medio de medidas físicas o "insensatas": la estrategia del ego de mantener el verdadero problema—la creencia en la separación—alejado de la Respuesta de Dios; la culpa se proyecta sobre otros fuera de nuestras mentes (ataque) o sobre nuestros cuerpos (enfermedad) y buscamos resolverla allí, en vez de permitir que el Espíritu Santo la deshaga en nuestras mentes; también se conoce como "falsa curación (sanación)" en *El canto de oración.*

mente - *Conocimiento*: el agente activado del espíritu, del cual es equivalente aproximado, y al cual le proporciona su energía creadora.
Percepción: el agente de selección; somos libres de creer que nuestras mentes pueden apartarse o separarse de la Mente de Dios (mentalidad errada), o que pueden regresar a ella (mentalidad correcta); así pues, se puede entender que la mente dividida tiene tres partes: la mente errada, la mente correcta y la parte de la mente (tomador de decisiones) que escoge entre ellas; no debe confundirse con el cerebro, el cual es un órgano físico y por consiguiente un aspecto de nuestro ser corporal.

mente correcta - A parte de nuestras mentes separadas que contiene al Espíritu Santo—la Voz del perdón y la razón; repetidamente se nos pide que escojamos ésta en vez de la mentalidad errada, que sigamos la dirección del Espíritu Santo en vez de la del ego, y que de ese modo regresemos a la Mentalidad-uno de Cristo.

mente errada - La parte de nuestras mentes separadas y divididas que contiene al ego—la voz del pecado, la culpa el miedo y el ataque; constantemente se nos pide que elijamos la mentalidad correcta en vez de la mentalidad errada, la cual nos aprisiona aun más en el mundo de la separación.

Mente Una - La Mente de Dios o de Cristo; la extensión de Dios que es la Mente unificada de la Filiación; puesto que trasciende tanto la mente correcta como la mente errada, existe solamente en el nivel del conocimiento y del Cielo.

miedo - La emoción del ego, la cual contrasta con el amor, que fue la emoción que Dios nos dio; el miedo se origina en el esperado castigo por nuestros pecados, que demanda nuestra culpa; el terror que resulta de lo que creemos nos merecemos y que nos lleva a defendernos—por medio de la dinámica de proyección del ego—atacando a los demás, lo cual simplemente refuerza nuestra sensación de vulnerabilidad y de miedo, y establece un círculo vicioso de miedo y defensa.

milagro - El cambio de idea que modifica nuestra percepción del mundo del ego de pecado, culpa y miedo al mundo de perdón del Espíritu Santo; invierte la proyección al devolverle a la mente su función causativa, lo cual nos permite escoger de nuevo; trasciende las leyes de este mundo para reflejar las leyes de Dios; se logra al unirnos con el Espíritu Santo o Jesús, y es el medio para sanar nuestra propia mente y las mentes de otros.

muerte - *Mente errada*: El testigo último de la aparente realidad del cuerpo y de que nos separamos de nuestro Creador, Que es la vida; si el cuerpo muere entonces tiene que haber vivido, lo cual significa que su hacedor—el ego—tiene que ser real y tener vida además; también el ego lo concibe como el máximo castigo por el pecado de habernos separado de Dios.

Mente correcta: El tranquilo abandonar del cuerpo después de que éste ha cumplido su propósito como instrumento de enseñanza.

mundo - NIVEL I: El *efecto* de la creencia del ego en la separación, la cual es su *causa*; es dar forma al pensamiento de separación y ataque a Dios; puesto que es la expresión de la creencia en el tiempo y el espacio, no fue creado por Dios, Quien trasciende el tiempo y el espacio totalmente; a menos que se refiera específicamente al mundo del conocimiento, mundo sólo se refiere a la percepción, el mundo de la post- separación del ego.

NIVEL II: *mente errada*: Una prisión de separación que refuerza la creencia del ego en el pecado y la culpa, y perpetúa la aparente existencia de este mundo.

Mente correcta: Un salón de clases donde aprendemos nuestras lecciones de perdón, el mecanismo de enseñanza del Espíritu Santo para ayudarnos a trascender el mundo: así el propósito del mundo es enseñarnos que no hay mundo.

mundo real - El estado mental en que, por medio del perdón total, el mundo de la percepción se libera de la proyección de la culpa que habíamos puesto sobre él; así pues, es la mente la que tiene que cambiarse, no el mundo, y vemos a través de la visión de Cristo la cual bendice en vez de condenar; el sueño feliz del Espíritu Santo; el fin de la Expiación, que deshace nuestros pensamientos de separación y permite que Dios dé el paso final.

negación - *Mente errada*: Evitar la culpa por medio de empujar fuera de nuestra consciencia la decisión que la hizo, lo cual la hace inaccesible a la corrección o a la Expiación; equivalente aproximado de la represión; protege la creencia del ego de que *él*, y no Dios, es nuestra fuente.

Mente correcta: se utiliza para negar el error y afirmar de la verdad.

oración - Pertenece al mundo de la percepción, tal como se entiende popularmente, puesto que le pedimos a Dios algo que creemos que necesitamos; nuestra única verdadera oración, por otra parte, es por el perdón, ya que éste nos devuelve la consciencia de que ya tenemos lo que necesitamos; tal como se utiliza en el Curso mismo, no incluye las experiencias de comunión con Dios que nos llegan durante los períodos de quietud o meditación; se compara con una escalera en *El canto de oración* (El himno de oración), y se enfatiza tanto el proceso del perdón como la comunión entre Dios y Cristo, la Canción que es el final mismo de la escalera.

pecado - La creencia en la realidad de nuestra separación de Dios, la cual el ego considera como un acto imposible de corregir porque representa el ataque a nuestro Creador, Quien como consecuencia jamás nos perdonaría; esta creencia nos lleva a la culpa, la cual exige castigo; es equivalente a la separación, y es el concepto central en el sistema de pensamiento del ego, del cual lógicamente surgen todos los otros; para el Espíritu Santo, es un error en nuestro pensamiento que debe corregirse y por consiguiente olvidarse y sanarse.

percepción - NIVEL I: el mundo dualista de forma y de diferencias que surgió después de la separación, mutuamente excluyente del mundo no dualista del conocimiento; este mundo surge de nuestra creencia en la separación y no tiene realidad fuera de este pensamiento.

NIVEL II: Procede de la proyección: lo que vemos internamente determina lo que vemos fuera de nosotros; crucial para la percepción, por lo tanto, es nuestra *interpretación* de la "realidad," en vez de lo que parece ser objetivamente real.

Mente errada: La percepción de la culpa y del pecado

refuerza la creencia en la realidad de la separación.
Mente correcta: La percepción del pecado y la culpa
refuerza la creencia en la realidad de la separación.
Ver: percepción verdadera.

percepción verdadera - Ver a través de los ojos de Cristo,
la visión del perdón que corrige las percepciones falsas
de separación del ego al reflejar la verdadera unidad
del Hijo de Dios; no debe equipararse con la visión
física, es la actitud que deshace las proyecciones de
culpa, y nos permite contemplar el mundo real en lugar
del mundo de pecado, miedo, sufrimiento y muerte.

perdón - Mirar nuestro especialismo en unión del Espíritu
Santo o de Jesús, sin culpa o sin juicio; nuestra función
especial la cual cambia la percepción que tenemos de
otro como "enemigo" (odio especial) o como "ídolo-
salvador" (amor especial) a una percepción de hermano o amigo, y le quita todas las proyecciones de
culpa; la expresión del milagro o visión de Cristo, que
ve a toda la gente unida en la Filiación de Dios, y que
mira más allá de las aparentes diferencias que reflejan
la separación: así pues, el percibir el pecado como real
hace imposible el verdadero perdón; el perdón reconoce que lo que pensamos que nos hicieron nos lo
hicimos nosotros mismos, puesto que somos responsables de nuestros guiones, y por lo tanto sólo nosotros
podemos privarnos de la paz de Dios: así pues, perdonamos a los demás por lo que *no* nos han hecho, no por
lo que han hecho.

principio de escasez - Un aspecto de la culpa; la creencia de que estamos vacíos e incompletos, y que carecemos de lo que necesitamos; esto nos lleva a la búsqueda de ídolos o relaciones especiales para llenar la escasez que experimentamos dentro de nosotros mismos; inevitablemente la proyectamos en sentimientos de privación, por lo que creemos que otros nos despojan de la paz que en realidad *nosotros* mismos nos hemos arrebatado; contrasta con el principio de abundancia de Dios.

proyección - La ley fundamental de la mente: "la proyección hace la percepción"—lo que vemos internamente determina lo que vemos fuera de nuestras mentes.
Mente errada: Refuerza la culpa al desplazarla sobre algún otro, al atarla allí y negar su presencia en nosotros; un intento de desviar sobre los otros nuestra responsabilidad por la separación.
Mente correcta: El principio de extensión, el cual permite que el perdón del Espíritu Santo se extienda (proyecte) a través de nosotros.

regalo - *Conocimiento*: Los regalos de Dios son amor, vida y libertad, los cuales jamás nos pueden ser arrebatados, aun cuando se pueden negar en el sueño de este mundo.
Percepción: Mente errada: Los regalos del ego son el miedo, el sufrimiento y la muerte, aunque a menudo no los reconocemos por lo que son; los regalos del ego son "comprados" por medio del sacrificio.
Mente correcta: Los regalos de Dios son traducidos por el Espíritu Santo en perdón y gozo, los cuales se nos

dan en la medida que los damos a otros.

Ver: dar/recibir.

relación santa - El medio que utiliza el Espíritu Santo para deshacer la relación profana (no santa) o especial y que cambia la meta de la culpa hacia la meta del perdón o de la verdad; el proceso del perdón por medio del cual alguien que ha percibido a otro como separado se une con él en su mente a través de la visión de Cristo.

relaciones especiales - Relaciones sobre las cuales proyectamos la culpa, y que utilizamos como substitutos del amor y de nuestra relación con Dios; las defensas que refuerzan la creencia en el principio de escasez mientras aparentan estar deshaciéndola—dan lugar a lo que quieren defender—puesto que las relaciones especiales intentan llenar la carencia que percibimos en nosotros mismos al quitarle a los otros a quienes inevitablemente vemos como separados, reforzando así una culpa que finalmente procede de nuestra imaginada separación de Dios: el pensamiento de ataque que es la fuente original de nuestro sentimiento de escasez; todas nuestras relaciones en este mundo comienzan como relaciones especiales puesto que comienzan con la percepción de separación·y diferencias, la cual debe entonces corregir el Espíritu Santo a través del perdón, para convertirla en una relación santa; el especialismo tiene dos formas: el odio especial justifica la proyección de la culpa por medio del ataque; el amor especial esconde el ataque en la ilusión del amor, donde creemos que nuestras necesidades especiales las llenan personas especiales con atributos especiales, por lo cual las amamos: en este sentido, el amor especial es el equivalente aproximado de la dependencia, la cual engendra desprecio u odio.

resurrección - El despertar del sueño de la muerte; el total cambio de pensamiento que trasciende al ego y su percepción del mundo, del cuerpo y de la muerte, y que nos permite identificarnos completamente con nuestro verdadero Ser; también se refiere a la resurrección de Jesús.

revelación - La comunicación directa de Dios hacia Su Hijo la cual refleja la forma original de comunicación presente en nuestra creación; procede de Dios hacia Su Hijo, pero no es recíproca; un breve retorno a este estado es posible en este mundo.

rostro de Cristo - Símbolo del perdón; el rostro (la faz) de la verdadera inocencia que se ve en otro cuando miramos a través de la visión de Cristo, libre de nuestras proyecciones de culpa; así pues, es la extensión hacia otros de la inocencia que vemos en nosotros mismos, independiente de lo que ven nuestros ojos físicos.
(Nota—no debe confundirse con el rostro de Jesús, ni con nada externo).

sacrificio - Una creencia central en el sistema de pensamiento del ego: alguien tiene que perder si otro ha de ganar; el principio de renunciar para recibir (dar para obtener); e.g., para recibir el Amor de Dios debemos pagar un precio, generalmente en la forma de sufrimiento para expiar nuestra culpa (pecado); para recibir el amor de otro, tenemos que pagarlo a través del convenio del amor especial; es lo opuesto del principio de salvación o justicia: nadie pierde y todos ganan.

salvación - La Expiación, o el deshacimiento de la separación; estamos "salvados" de nuestra *creencia* en la realidad del pecado y la culpa a través del cambio de idea que el perdón y el milagro originan.

sanación - La corrección en la mente de la creencia en la enfermedad que hace que la separación y el cuerpo parezcan reales; la sanación está basada en la creencia de que nuestra verdadera identidad es el espíritu, no el cuerpo, así la enfermedad de cualquier tipo tiene que ser ilusoria, puesto que sólo un cuerpo o ego puede sufrir; así la sanación refleja el principio de que no hay orden de dificultad en los milagros; es el resultado de la unión con otro en el perdón, lo cual cambia la percepción de cuerpos separados—fuente de toda enfermedad—por nuestro propósito compartido de sanación en este mundo.

Segunda Venida - La curación (sanación) de la mente de la Filiación; el retorno colectivo a la consciencia de nuestra realidad como el Hijo uno de Dios, la cual tuvimos en nuestra creación, la Primera Venida; precede al Juicio Final, después del cual este mundo de ilusión se termina.

separación - La creencia en el pecado que afirma una identidad separada de nuestro Creador; pareció ocurrir una vez, y el sistema de pensamiento que surgió de esa idea está representado por el ego; ha tenido como resultado, un mundo de percepción y de forma, de dolor, sufrimiento y muerte, real en el tiempo, pero desconocido en la eternidad.

Ser - Nuestra verdadera Identidad como el Hijo de Dios; sinónimo de Cristo, la Segunda Persona de la Trinidad, y la cual contrasta con el falso ser, el ego, que hicimos como substituto de la creación de Dios; raramente usado para referirse al Ser de Dios.

sueño - El estado de la post-separación en el cual el Hijo de Dios sueña con un mundo de pecado, culpa y miedo y cree que ésta es la realidad y que el Cielo es el sueño; el Hijo, que es el soñador, es la *causa* del mundo el cual es el *efecto*, aun cuando esta relación entre causa y efecto parece que está invertida en este mundo, donde parece que nosotros somos el efecto o la víctima del mundo; ocasionalmente se usa para referirse a sueños en el sueño, aunque no hay diferencia real entre ellos y el soñar depierto, porque ambos son parte del mundo ilusorio de la percepción.

tener/ser - estado del Reino donde no existe distinción entre lo que tenemos y lo que somos; una expresión del principio de abundancia: todo lo que tenemos proviene de Dios y jamás puede perderse o necesitarse, y el cual incluye nuestra Identidad como Hijo Suyo; una parte integrante de las tres "Lecciones del Espíritu Santo".

tiempo - NIVEL I: parte integrante del mundo ilusorio de la separación del ego, en contraste con la eternidad, la cual existe sólo en el Cielo; a pesar de que el tiempo parece ser lineal, el mismo está contenido en un instante diminuto que ya ha sido corregido y deshecho por el Espíritu Santo, y en verdad jamás ocurrió.

NIVEL II: *mente errada*: el medio para mantener el ego al preservar los pecados del pasado por medio de la culpa, la cual se proyecta al futuro por miedo al castigo, y pasa por alto el presente que es la aproximación más cercana a la eternidad.

Mente correcta: el medio para deshacer el ego al perdonar el pasado a través del instante santo, el instrumento de los milagros; cuando se complete el perdón, el mundo del tiempo habrá cumplido el propósito del Espíritu Santo y sencillamente desaparecerá.

Trinidad - La unidad de Sus Niveles no se puede entender en este mundo; consiste de 1) Dios, el Padre y Creador, 2) Su Hijo, Cristo, nuestro verdadero Ser, que incluye a nuestras creaciones y 3) el Espíritu Santo, la Voz por Dios.

Un curso de milagros - Frecuentemente el Curso se refiere a sí mismo; su meta no es el amor o Dios, sino el deshacimiento, a través del perdón, de las interferencias de la culpa y del miedo que impiden nuestra aceptación de El; su centro de interés, por lo tanto, es el ego y el deshacimiento de éste, más bien que Cristo o el espíritu.

Voz por Dios - (*Ver: Espíritu Santo*)

texto

texto (continuado)

libro de ejercicios

manual para el maestro

Índice

clarificación de términos

La Fundación para Un curso de milagros®

Kenneth Wapnick recibió su Doctorado en Psicología Clínica de la Universidad de Adelphi en el año 1968. Fue amigo muy cercano y socio de Helen Schucman y William Thetford, las dos personas cuya unión de común acuerdo fue el estímulo inmediato para que Helen fuese la escriba de Un curso de milagros. Kenneth ha estado relacionado con Un curso de milagros desde 1973, escribiendo, enseñando e integrando sus principios a su práctica de psicoterapia. Es miembro de la Junta Directiva de la Foundation for Inner Peace (Fundación para la paz interior), que publica Un curso de milagros.

En 1983, Kenneth y su esposa Gloria establecieron la Foundation for A Course in Miracles (Fundación para Un curso de milagros), y en 1984 ésta se convirtió en un Centro de enseñanza y sanación en Crompond, Nueva York, el cual creció rápidamente. En 1988 abrieron una Academia y centro de retiros en la región norte del estado de Nueva York. En 1995, comenzaron el Institute for Teaching Inner Peace through A Course in Miracles (Instituto para la enseñanza de paz i nterior a través de Un curso de milagros), una corporación docente legalmente constituida por la New York State Board of Regents (Junta de gobierno de las universidades del estado de Nueva York). En 2001 la Fundación se trasladó a Temécula, California. Publica un boletín trimestral, "The Lighthouse" (El Faro), el cual puede obtenerse gratuitamente. A continuación damos los conceptos de Kenneth y Gloria sobre la Fundación.

Durante los primeros años de estudio de *Un curso de milagros,* y de enseñanza y aplicación de sus principios en nuestras respectivas profesiones de psicoterapia, enseñanza y administración escolar, parecía evidente que este sistema de pensamiento no era el más fácil de comprender. Era así, no sólo en cuanto a la comprensión intelectual de sus principios, sino quizás aun más importante, en cuanto a la aplicación de estos principios en la vida personal de cada uno. Así que nos pareció desde el principio que el Curso se prestaba para la enseñanza, paralelamente con la enseñanza del Espíritu Santo en las oportunidades que se nos presentan diariamente en nuestras relaciones, tal como lo presenta el manual para maestros en sus primeras páginas.

Un día, hace varios años, mientras Helen Schucman y yo (Kenneth) discutíamos estas ideas, ella compartió conmigo una visión que había tenido de este Centro como un templo blanco con una cruz dorada encima. Aun cuando era obvio que esta imagen era simbólica, entendimos que ésta era representativa de lo que sería

el Centro de enseñanza: un lugar donde se manifesta-
rían la persona de Jesús y su mensaje en *Un curso de
milagros*. Algunas veces hemos visto una imagen de
un faro que proyecta su luz hacia el mar, y que llama
a aquellos transeúntes que la buscaban. Para nosotros esta luz es la enseñanza de perdón del Curso,
que esperamos compartir con aquellos que son atraídos por la manera de enseñar en la Fundación y por
la visión que ésta tiene de *Un curso de milagros*.

Esta visión conlleva la creencia de que Jesús dictó
el Curso en este momento preciso y en esta forma
específica por varias razones. Éstas incluyen:

1) La necesidad de sanar la mente de su creencia de
que el ataque es la salvación; esto se logra por medio
del perdón, el deshacimiento de nuestra creencia en la
realidad de la separación y de la culpa.

2) El dar énfasis a la importancia de Jesús y/o del
Espíritu Santo como nuestro Maestro amoroso y bené-
volo y al desarrollo de una relación con este Maestro.

3) El corregir los errores del cristianismo, especialmente el énfasis en el sufrimiento, el sacrificio, la separación y el sacramento como factores inherentes al plan
de salvación de Dios.

Nuestro pensamiento siempre ha sido inspirado por
Platón (y por su mentor, Sócrates), tanto el hombre
como sus enseñanzas. La Academia de Platón era un

lugar adonde la gente seria y reflexiva acudía a estudiar su filosofía en una atmósfera conducente al aprendizaje, y luego regresaban a sus profesiones, para poner en práctica lo que el gran filósofo les había enseñado. Así pues, al integrar los ideales filosóficos con la experiencia, la escuela de Platón parecía ser el modelo perfecto para el centro de enseñanza que dirigimos por tantos años.

Por lo tanto, vemos como propósito principal de la Fundación ayudar a los estudiantes de *Un curso de milagros* a profundizar en la comprensión del sistema de pensamiento de éste, conceptual y empíricamente, de modo que puedan ser instrumentos más eficaces de la enseñanza de Jesús en sus propias vidas particulares. Puesto que enseñar el perdón sin haberlo vivido es vano, una de las metas específicas de la Fundación es ayudar a facilitar el proceso por medio del cual las personas puedan capacitarse para reconocer que sus pecados han sido perdonados y que son verdaderamente amadas por Dios. De este modo, el Espíritu Santo puede extender Su amor a otros a través de ellos.

La fundación para Un curso de milagros®
Temécula, California

Para un listado completo de nuestras publicaciones y de las traducciones disponibles, favor de consultar nuestra página de Internet: www.facim.org. Y para mayores informes, basta enviarnos una carta o llamar a nuestras oficinas.

Foundation for A COURSE IN MIRACLES®
41397 Buecking Drive
Temecula, CA 92590
USA
(951) 296-6261 • fax (951) 296-5455